Woath It?
Coase Ah Am, Pet

Praise for Cheryl Kerl:

'So so funny. Huge fan of yours, always hilarious. A delight.'

Peter Serafinowicz

'No one has made me laugh as much as your tweets. Who the bollocks are you?'

Emma Freud

'Ah've just storted followin yerz on wor laptop, yerz daein a bang up job.'

Bill Bailey

Woath It?
Coase Ah Am, Pet

Cheryl Kerl

CORONET

First published in Great Britain in 2010 by Coronet
An imprint of Hodder & Stoughton
An Hachette UK company

1

A CIP catalogue record for this title is available from the British Library.

Hardback 9781444715156

Typeset in Adobe Caslon by Palimpsest Book Production Limited,
Falkirk, Stirlingshire

Printed and bound in the UK by Clays Ltd, St Ives plc

Hodder & Stoughton policy is to use papers that are natural, renewable
and recyclable products and made from wood grown in sustainable forests.
The logging and manufacturing processes are expected to conform to the
environmental regulations of the country of origin.

Hodder & Stoughton Ltd
338 Euston Road
London NW1 3BH

www.hodder.co.uk

To Grace, Sean and Joe.
My love and thanks for putting up with a berk like me.

Acknowledgements

Thanks to Charlotte Haycock and all at Coronet for their tireless help and support. To Jonathan Conway, my agent, for making it happen. Sue Llewellyn for the introduction, Biz Stone and his pals for Twitter, and last but by no means least the wonderful Cheryl Cole, for being the nation's sweetheart and such a good sport.

Foreword

You know publishing can be a rather funny business, for despite having spent a lifetime in the trade it still never fails to surprise me. And no more so when a book such as this comes to my attention.

I signed it to our list without a moment's hesitation. After all who wouldn't jump at the chance to publish a book written by the nation's sweetheart, a modern icon who is an inspiration to us all? When one of my younger editors brought me the proposal for approval I simply said "publish" without even taking a look. We've all long admired Cheryl Cole and I was eager to publish a book written by her.

It was only some months later whilst idly looking through some papers that I discovered what I had purchased wasn't by Ms Cole at all, but it was in fact a spoof volume written by a Miss Cheryl Kerl. I was naturally disappointed.

I demanded the manuscript immediately to see exactly what I had bought, fully intending to stop the process after having read the first page. But then something funny happened. Spoof or not, this book is as warm, funny and sweet as the girl herself, it is an affectionate piled-up confection of Cherylness.

So please take your phones off the hook, draw up your favourite reading chair, don your most threadbare velvet smoking jacket and then simply enjoy. Woath it? Coase you are!

Tarquin Slacksbury
Slacksbury & Ballinger, London

Contents

Happee Yem

Loved Ones

Cultcha an Entatainmint

Reach Faw the Stors

Wor Woald T'dee

Leif an Teims
a Cheryl Kerl

Ah've got lerdsa teims, me. Haff past feive, twentee past three, quatha tuh fowa . . . an leik tha's ernly a few a thim.

Welcome to Mei Woald

Aw hi thor, pet, an thanks faw takin teim tuh have a read. Ah kna yerz likelee in a hurry, mebbes standin thor in Wattahsterns wi yerz bairns screechin on a busy Sat'dee aftahnoon, quicklee lookin faw a new an interestin book so Ah'll cut tuh the chase.

As a glerbil phenomenon an one a the biggest stors on the planet Ah'm takin a birruv teim tuh reet mei foast book. Hei, an Ah havven cheated bei usin a gherstwritah like a lerda uthaz celebs. Nee wey pet! This is aall mei ern woak yerz aw gerrin heeah. Peepil's bin on arruz noo faw ages tuh reet it bur up tee noo Ah've aalweys thort it a bit early in mei career. Leik Ah divvint wanna name nee names, buh thor's gorls oot thor mei age an mebbes evin youngah, an thor on volume three uv thor auteaubiographees alreddy. Leik hoo can the have done so much in such a shawt teim man?

Ah've had offaz from evreebuddy yerz could think uv, pet. Newspapaz, magazeens an publishaz haz aall bin waving thor check books undah mei nerse buh

Ah've aalweys resisted the temptation up til noo. The reason thar Ah'm reetin *Woath It? Coase Ah Am, Pet* is because Ah'm fed up reading wha utha peepil's reetin aboot uz. Treein tuh sey whar Ah think aboot this an tha. Buh the divvint kna owt aboot uz man woman pet man pet. Hoo could the leik?

So noo faw the foast teim Ah'm ganna lift the lid on mei woald. This book is aboot me an mei leif an aall whar Ah think aboot stuff an tha. It's mei take on wor contemporary leefsteels. Ah'm ganna share mei thorts on aall the burnin issues uv modun dee livin. So if yerz wanna kna whar Ah think aboot the presshaz a leif, hoo tuh feind love, the impotance a relationships an hoo tuh make a lovalee hoose an herm, itz aall heeah. An if yerz read buhtween the leens – Ah divvint mean ackshillee read buhtween the leens coz leik thor's nee woads printed thor. That'd be daft man! Naa, whar Ah mean is yerz can mebbes take onbawd whar Ah'm seyin aboot things an then frum tha woak oot what makes uz tick. Tha wey yerz'll get tuh kna the reel Cheryl Kerl maw intimatelee than a straighfawahd storee a mei leif so faw. Bur of coase it meight be a good idea just tuh fill in a bit a backgroond an tuh explain hoo Ah got whor Ah am t'dee.

Ah wuz born in Newcastle, an if yerz're reading this in London, tha's a big toon in the Noath East of

England. An Ah divvint think tha if Mam an Dad sees this tha thi'd be upset if Ah telt yerz we didden have lerdsa munnee, buh munnee's nut everything an Ah still had a lovalee childhood. We lived on a coonsil estate an Ah went tuh the lerkil comp, nut one a thim fancee theatah schools aw owt. We didden have much, buh we didden want faw owt eitha. Dad seen tuh tha, an leik despeet aall the Catherine Cookson pathos, Ah had this dream burnin in mei serl tha one dee Ah wuz ganna be a sumbuddy. It wuz problee planted thor bei Mam hoo used tuh entah uz in bonny bairn an talent contests an tha, pet, an aftah a few wins tha wuz me on mei way.

Faw as long as Ah can remembah Ah've wanted tuh be a pop singah an yerz'd aalweys feind uz deein aall the things tha yerz aw supperzed tuh dee. Standin in front a the mirra singin intuh a horbrush an woakin oot killah dance moves faw when Ah waz ganna knock em deed on stage, jus leik a dee noo. Win followed win an Ah quicklee became the Noath East's champyin an soon aftah Ah began winnin shers aall ovah the place man. Then one dee the oppatunitee tuh gan in faw a TV talent sher came along an Ah grabbed it wi berth hands. Tha wuz mei reel big break an what reely set uz on the rerd tuh whor Ah am t'dee.

Ah wuz picked alerng wi some utha gorls an the

producaz torned uz intuh Gorls are Lood, an tugetha we soon serraboot takin the pop choatz bei stoam. In nee teim at aall wi'd blern aall wor competition oota the wattah. We quicklee became the biggest sellin gorl band evah an things cudden reely a got any bettah. Buh then one dee mei agent caaled uz an said tha Seimon wuz wantin uz tuh become a judge on hiz sher, *X Factory*, an the rest is histree man! Noo Ah'v released mei ern soleau album an evereething's gannin champyin. An altheu Ah'm still in the band wi the gorls, Ah'm noo a soleau awtist in mei ern reet an Ah'm lovin the creative possibilitees thar itz erprnin up faw uz. Meind it wuz well scory at foast; oot thor on mei ern on stage wioot the gorls backing uz up. Bur aftah a wheel Ah got the hang uv it an tha, an Ah'm nut freetened nee maw, pet. Ah just gan oot thor an dee mei thing an the peepil seems tuh love it.

When Ah foast came doon tuh London Ah'd led a fairly sheltahd leif an didden kna much aboot anything, buh noo Ah've done so much maw livin an Ah've had so many new experiences thar Ah nevah wudda thort Ah'd evah have, it's given uz plenty a views an opinions on aall aspects of modun leef, so Ah'd love tuh share thim wi yerz all. Mei fans.

See this as a wey of gerrin yerzselves a bitta the hi-leif by reading aboot whar Ah get up tee an whar

Ah think aboot stuff an tha, an who knas, any littil gorls reading just meight end up bein inspiahred by it an become a stor leek Ah am. Mind that's not very likelee but still miracles dee happen someteims.

So, wei not settle doon wi a cup a coffee an have a read; use the book tuh feend oot aboot stuff tha yerz meight nevah have bothad lookin at. It izzen just aboot me, itz aboot berth a wor. Wiz a poatnahship spending qualitee teim together buhtween these pages, emboakin on a jornee a discoveree, pet. Use it tuh expand yerz horeezins an yerz ootlook on leef. And when yerz're finished Ah herp tha some a mei philosofee will rub off on yerz an yerz just meight look intuh the mirra an ask yerzselves this question an herpfullee ansah the same.

Woath it? Coase Ah am, pet.

Cheryl Kerl
X
CelebriTTy CenTral

A Dee in the Leif

So awey we gan an herld on tuh yerz hats coz whor bettah tuh stoat than lerrin yerz have a quick peek intuh mei ern secret diary? Then yerz can see what ah gerrup tee in a typikil dee in mei fabuliss leif. So inspiahred bei the famiss Beetils numbah, 'Sgt Peppah', heaz hoo a typical dee meight gan faw uz.

9.00 am: Mei alarm gans off an Ah gerrup reet awey. Ah have a fern bei mei bed when Ah'm yem, so foast thing iz Ah call the cook an ordah mei breakfast. Itz nomalee mebbes a glass a wattah an a Reeveeta aw summat.

9.30 am: Intuh the gym an Ah dee mei woakoot wi mei poasinil trainah. Ah need tuh keep meiself fit an in shape. Itz mei fawchoon aftah aall leik.

10.00 am: A limeau areeves an takes uz tuh L'Oreals tuh gan aw mebbes have some heigh-powahd meetins aboot hor lackkah an shampooz an tha.

11.00 am: Then itz back into the limeau an if itz during *X Factory* seazin Ah'll hadaway an mebbes dee a birra judging, aw in the lataz stages Ah'll have tuh dee mei mentilin wi mei acts an tha.

1.30 pm: Teim faw lunch. Nomalee a birruv lettuce an mebbes a bottil of Perrier. If Ah've used up a lotz a energee, then mebbes Ah'll have a couple a peanuts. Nee maw than three theu. Ah divvint wanna undee aall tha hoad woak in the gym an tha.

2. 30 pm: Back in the gym faw annutha woakoot. Nuthin too much, just enough tuh born mei lunch off.

3.00 pm: Problee a consultation a some soat. It meight be wi a jeans consultint aw mebbes a lippy stielist. Thiz is soa impotant in the leef of a stor an stiel icon, an itz an aspect a the jerb tha some uv mei contemporeez divvint pey enough attention tee.

4.00 pm: Ah have tuh fit in a birruv music evree dee tuh keep mei chopz up tuh speed. Mebbes Ah'll dee a birruv reetin, aw verkil practice. Someteims Ah'll gan tuh the studieau an ackshillee lay doon some tracks.

4.10 pm: Ah'm reetin mei book at the minit so Ah have tuh purrin a birruv teim on the laptop knockin this oot. Hei, Ah herp yerz think itz bin woath it an tha, pet!

6.00 pm: Ah have mei dinnah then an coz Ah've gan aall dee on nut very much at aall Ah need tuh take on a birruv fuel. So mebbes Ah'll have some extra lettuce, two glasses a wattah, a sleece a bread an if Ah'm reely famished mebbes Ah'll have two grapes an tha.

7.00 pm: Doon the gym again tuh run mei dinnah off.

8.00 pm: Chillax an mebbes watch a DVD aw summat on the telly. Theu if Ah have a prefeshinil engagemint tuh dee then this haz tuh get blern oot.

11.30 pm: If thorz been say leik an *X Factory* recoadin aw mebbes a fillum premier Ah aalweys trei tuh be back yem bei aboot eleven thorty. An divvint tell neebuddy aboot this bit, coz a pick up the fern an call Ranjit at the lerkil tandoori an he delivaz uz a lovalee big chicken korma, reece, onyin bajeez an poppadums. Leik wha else wud yerz be expectin man?! Ah'd be deed if Ah didden eat summat! Ah'm nut one a thim Ringwreath gadgies oota Load a the Rings, pet.

11.30 pm-12.00 am: A quick half ooah back in the gym.

12.15 am: Last glass a wattah. Ernly a one theu az Ah divvint wanna give meiself neetmors aw owt.

12.30 am: Aftah a dee leek tha then itz aff tuh bed soaz Ah can be up again the next dee at 9.

Mei Heroes, Heroines an Influences

Noo a lorra peepil asks uz hoo mei heroes aw an leik wha soat uv influence thiv had on uz tuh help mould uz intuh the poasin tha Ah am t'dee. Well it'll problee be nee suppreeze thar Ah gorra few from many divoase walks a leef, an Ah divvint think it'd be reet if Ah didden take teim tuh mention some a thim bei wey a thanks an tha.

Mutha Theresa

Aw she wuz lovalee wuzzen she? Deein aall tha charitee woak faw all thim ferks oot in India an tha. She wuz ernly a littil speck theau but pet, buh she possessed an indomitable spirit an seemed tuh have an innah strength tha she could caall on an tha. Ah see a lorra the poasin thar Ah am t'dee in hor. Ah divvint think thar itz no a supreeze tha shiz a saint, an not bein a big heid aw owt, hoo knas tha mebbes in fifty yeeaz thor meight be a Saint Cheryl.

Madonna

Leik what can yerz say aboot Madge tha hazzen been said alreddy? Shiz a modun icon izzen she? Ah supperse tha faw an erld boilah shiz still not tee bad eitha. Thor's plenty a blerks wudden threr hor oota bed faw eatin bickkies an tha. An of coase hor musickil legacee is immense izzen it? All thim hits ovah such a lerng teim. Amazin man!

If it hadden a been faw Madonna inspiahrin uz Ah honestlee divvint think that Ah'd a ended up wi a career in music. Coz until Ah'd seen hor deein hor stuff on MTV Ah had alreddy mapped oot a career faw meiself as mebbes a nucleah scientist. So next teim yerz see Madge arra gig aw on telly divvint ernly enjoy hor faw horself, thank hor faw inspiahrin a young Cheryl Kerl an helping uz become whar Ah am t'dee. Aw Madge, man woman Ah owe at least a tinee birruv mei success tuh yerz pet!

Sor Isaac Newton

Heez mei next big hero an yerz aw problee askin yerzelves, 'Cheryl, pet have yerz ganned mentil an tha?' Heez a scientist frum the erlden dees. Buh nee way, coz a sortinlee havven ganned mentil. Ah see Newton as a hero, coz leik he discovahd things wheel he used tuh sit undah a tree tha's changed the woald man! Leik

14

this one teim, reet, he wuz jus sittin thor an an appil fell aff the tree an banged him on his heid. Well quick as a flash he invented gravitee! Amazin izzen it? An wioot all tha keinda stuff, the Americans cuddna nevah put Buzz Leetyeah on the Moon pet! So tha's wei heez such an influence on uz. He waz an innovatah an a true jeeant a histree.

Chorles Dickens

Noo Ah'm shaw yerz divvint have tuh wondah wei Ah've cherz Dickens pet. The consummate storee tellah an a man hoo could reet aboot a lerda misery an still flog it tuh the masses. Aall them great musicils an fillums tharree rert too man. Faw exampil thor's Olivah, he rert tha one wi Andrew Lloyd Webstah an Graham Notun an it wuz a canny success an aall. Ah see him as the rerl modil faw mei ern career. Ah herp Ah can be haff as vorsateel as he wuz.

Henry the Eight

Ah've aalweys admiahed this gadgie coz he knew wharry wanted an hoo tuh gan aboot gerrin it man. He didden suffah foolz gladlee at aall, nee way! If things wuz gannin against him aw he wuzzen gerrin hiz ern wey aall he did wuz change the rules tuh suit himself. Noo he wuz abil tuh dee tha coz leik he wuz

King an aall. If peepil treed tuh stand up tuh him aw owt he just used tuh chop thor heeds aff. Nee botha.

The Queen Mum

Aw she waz lovalee an tha wuzzen she pet? Bermbin aboot on tha littil buggy a hors an she aalweys hadda lovalee hat, dress an coat tha aall matched up; nomalee in a pastel shade a some sort. Noo what shiz inspiahred uz tuh dee is be serene at aall teims leik. Yerz nevah seen Hor Majestee, Gawd bless hor, loosin hor rag, did yerz? Even when aall the Royal famalee bairns wuz runnin aboot bringin wor monarky intuh disrepute an tha. Nee wey. She just kept hor beak oota it aall and likelee adveezed wor Queen on the quiet hoo she should handle aall the embarrassin things tha Chorles, Lady Di, Forgie an Prince Andrew an the rest a thim wuz aall gerrin up tuh an tha. Ah'd leik tuh think thar Ah'd be leik tha if mei bairns whor makin a sher uv uz man pet woman man.

An a coase the utha thing tha's rubbed aff on uz, problee on maw of a subliminal level, is the Queen Mum's love a fish. Ah love a neece birra salmon faw mei dinnah an so did Hor Majestee. Meind Ah aalweys have mein filleted an tha coz Ah divvint fancee bein rushed tuh hospital wi a great big fishbern stuck in mei thrert leik she wuz aalweys deein. Ah supperse when yerz analeeze it Ah'm evah so leik hor. Except Ah divvint leik hawse racin man. Ah hate tha.

Nelsin Mandella

Oota aall mei influences an heroes thorz none greatah than Mistah Mandella. Wharra blerk tha man is man pet. Taak aboot dignitee an graciousness, heez gorrit bei the bert-lerd man.

Ah feind him such an inspirashin, an this izza birruv a secret so divvint tell neebuddy yet, buh leik Ah'm reetin a musicil based on hiz leif. I intend tuh have it finished bei next yeah an Ah'd leik tuh have it pleyin in the West End bei next Christmas. Itz ganna be a fusion uv cool veebs an bangin choons an tha, mixed wi the soond a toonships. Keinda a bit leik what Paul Seimon did tha teim wi *Graceland* ernly this iz ganna be aboot twenty teims bettah man. Ah'm aboot half wey through the ovachoor an Ah'll be movin on tuh the libretto an main serngs an tha soon.

Bruce Forsyth

Aw leik hoo can yerz get any bettah than Brucie man? Heez simplee the best as Tina Tornah'd sey. Mistah sherbizniss an he shers nee seens a packin it in an tha. Leik he must be aboot a hundred an twenty noo mussen he? If mei stellar career lasts faw as littil as a tenth a hiz then Ah'll be a happy gorl, man.

The beauty aboot Brucie iz tharreez aalweys 'on'. Evree situation's a perfoamance faw him man. Tertally amazin. Buh thor's one thing tha puzzils an Ah just cannat undastand it. Wei eez norra Sor aw a Load aw summat? Specialee when yerz look at some peepil tha's got honnaz. Thor's peepil's evin gorrem faw reading books an paddlin canooz. Bonkaz man! Leek anybuddy can read a book. Aall yerz have tuh dee iz look oot in the street and yerz'll see lerdza a bairns deein tha aall dee lerng buh leik neebuddys givin a neethood faw deein it.

The Perp

Last an bei naa meanz least Ah'd have tuh gan wi His Herliness the Perp, aw tuh be more accurate aall the perps thor's evah bin, well mebbes aall except the Borgias, coz they wor a bunch a reet evil gets runnin roond poisonin ferks an committin adultery an tha. Buh wei the Perp, Cheryl, pet? Well itz a nee brainah, simpils! No mattah wharry seys aw duz the Perp's aalweys reet izzen he? Heez inflatable man. An tha's the way Ah've lornt tuh run mei affors. Ah noo have the confidence uv the Perp coz Ah leik tuh think a meiself as inflatable these dees. So thank yerz very much Yerz Herlinesses.

Deep Thorts an Tha

Pre-Raphaeleets aw Perst Impreshinists? It's a reet tough caal leik, bur on balance itz ganna be Pre-Raphaeleets faw me pet. Itz aall aboot thor hor faw uz. Ah think tha one wi tha gorl asleep undah the wattah's mint man.

Very sunnee an hot weatha in a funnee keinda wey's a bit leik when thor's very heavee sner the way it can disrupt wor dailee leives. Except uv coase yerz divvint need sun ploughs and cannat build a sunman can yerz?

Noo something tha's aalweys puzzild uz. Yerz kna the wey Ah have tuh lorn a lerda dance moves an tha faw mei appearances on TV an mei leive shers an tha, pet. Well tha meanz woakin wi a lerda corryograffaz an the thing is tha nun a thim can coont frum one tuh foaw. The stoat evree rooteen

19

wi 'Feive, six, sev-en eight!' Wha's tha aall aboot man? Bonkaz!

✳

Someteims the yin an yang a natcha takes mei breath awey. The wey things get woaked oot in poafect hoamonee. Last week Ah wuz waakin bei the rivah an it just came tuh uz hoo amazing tha rivaz aalweys seem to follow the direction of the terpaths an banks an tha. Ah mean hoo incredibil is that?

✳

Whar a birruv luck St Patrick's Dee is on Moach the 17th coz leik the Irish have a big poaty an celebration tha dee as well. It cudden a woaked oot bettah cud it? But leik yerz kna wha the sey divvint yerz? 'The luck a the Irish.' That's likelee whor the expresshun comes from.

✳

Morris dancing's a bit leik tha Rivahdance izzen it, pet? Except yerz look leik a birruv a mentil in a Morris dancaz ootfit. Aall thim smocks an bells teid tuh yerz legs man's a bit keinda dodgy.

✳

The dissolution a the monasteries serrin train schisms tha still deveeds groups within wor socitee even tuh this dee man pet. An in mei view tha's well sad. Live an let live's mei mantra, theu thor iz something a bit odd aboot thim mernks. Ah think itz the ootfits. Thor a bit sinistah.

GMTV's a bit leik a reel news channel izzen it? Except the fill a lorra thor teim wi iffy phern-in competitions an diets man. Mebbes if the wor tuh seen up a hevvy-weight presentah leik Jeremy Paxman thor broadcastin peeahz meight take thim a bit maw seriouslee.

Recentlee Ah've bin ponderin the possibil ootcomes shud wor space teim continuum evah ruptcha. Thor'd likelee be monstaz an space alienz an tha. 'Hei what's got yerz thinking tha, Cheryl, pet?' Ah can heeah yerz askin uz. Well Ah've bin lookin at the stors wi a telaskerp an itz give uz a reel sense uv porspective aboot the ordah a the cosmos man pet. When yerz look up at the skei yerz awn't ernly lookin at the stors, yerz're lookin back through teim itself as well, pet. The clersest thing tuh it thar Ah can think uv wud be a bit leik watchin UK Gerld faw a herl neet.

21

Yerz kna Ah thort tha wha Proust wuz seyin in *a la recherche du temps perdu* was well mint an Ah'm nevah wioot a volume clerse tuh hand. Meind the thing aboot his stuff is mebbes he cudda gorron wi it a bit quickah, soa if Ah wuz tuh nitpick Ah'd mebbes have tuh sey tha perhaps heez a tad vorbose faw some.

It's a shame tha some of wor music legends have passed awey. Leik just imagine a collaborashun between me an Kerl Portah man. That'd be tertally amazing wudden it? An Ah think if Elvis hada still been aleev leik Ah'd a gor him as mei support act on a one a mei tooaz coz yerz've gorra look aftah erld ferks an give thim a comfoatibil retiahmint.

Radieau's a bit leik TV, ernly yerz cannat watch Corrie aw Eastendaz on a radieau pet. That'd be daft man coz it's not got HD hazzit? But the funnee thing iz tha yerz can watch the radieau on yerz TV on Skei an Vorjin an aall. So leik wha's tha aall aboot?

*

22

Ah someteims think Ah should pack in mei music an gan an dee summat moa woathwheel. Leik mebbes woak in a Human Resaosaz depoatmint.

The neet's keinda leek the dee izzen it? Except yerz divvint nomalee gerrup tuh gan tuh woak at neet unless yerz on neetshift. Ah read this thing once in a magazine tha seed at certain teims in the yeeah Eiceland nevah gets dawk at aall. Hoo crazee is tha? Meind it sounds leik a good place tuh serrup a bizniss selling curtains an bleends an tha.

Ah'm thinking a becomin a vegan, mind theu Ah cannat do tha thing wi mei fingaz tha Mr Spock does so thi'll mebbes not lerruz in leik. Mebbes Ah'll offa tuh dee a benefit gig faw thim an thi'll mebbes lerruz in then.

The ernly thing tha yerz can believe in the tabloids is the date man, an evin then Ah'd suggest yerz check tha an aall.

Minestrernie soup is keinda like a metafaw faw leif. It's got aall sortz a horrible bits in it an tha an aall an carrots too. Leave it tuh the Italyins tuh come up wi summat as clevah as tha man. Nee wondah the Rermins once ruled the woald.

Grumpy Erld Cheryl

Have yerz seen tha sher, Grumpy Erld Weemin? Itz mint man! Itz whor a gang a weemin tha yerz have seen in TV shers an tha, come on a dee a lerda rantin aboot aall the stuff tha makes thim mad. Leik itz propah funnee an Ah've thort tha altheu Ah'm sortinlee nor erld aw owt leik tha, thor's definitlee stuff tha makes uz well angry so Ah'm ganna reet aboot it in this chapta.

Traffic Jams

Man thor shockin an one uv the merst annoyin things yerz can have. Specialee noo Ah'm a glerbil stor an thar Ah have tuh live in London, coz leik London's just one big jam reely. Leik sey yerz have tuh be somewhor an then yerz get caught in traffic itz terribil. It just makes yerz tertally stressed oot an tha an liabil tuh stoat speeding aw gannin through red leets when yerz gerra chance. Leik Ah've had a few tickets faw the leiks a tha keinda thing. Well when Ah say Ah've had the tickets whar Ah mean is tha mei drivaz haz had thim.

Motawey Sorvices

Noo of coase Ah divvint use these very much these dees bur Ah remembah back when Ah wuz a neebuddy, an not bein teight aw owt just leik the merst a yerz tha's reading this likelee aw, an Ah had tuh use thim if Ah wuz desperate. The thing tha reely annoyz uz is hoo the sorve the food man. Well the call it food an Ah supperse tharrit is, aftah a fashin, but leik evin back then Ah had mei doots.

Buh heeaz the problem an the thing tha makes uz grumpy man. Yerz get yerz borga aw yerz chicken curry, whatevah it is, an yerz then have tuh join a queue uv aboot twenty peepil. A lotta thim's pensionaz an tha an thor aall standin aboot askin the blerk beheend the coontah endless questions aboot the fish an chips an tha, leik wha keind fish izzit? Wuzzit caught fresh frum Grimsbee that dee? Wha keinda oil's bin used tuh frei it? The blerk beheend the coontah hazzen a clue wha thor gannin on aboot. He's frum Latvia aw somewhor leik tha. Heez nevah seen fish an chips befaw an heez nevah hord a Grimsbee. The meight az well've been askin him if the fish wuz caught on the moon in the Sea a Trankwillitee as faw as heez consoaned. So tha herlds yerz up. In the meanteim a gang a reps has pushed in in front a the erld ferks coz they divvint want food, ernly a drink so tha makes yerz queue evin longah. So yerz are standin thor wi yerz grub, tha wuzzen very woam tuh begin wi, getten evin kerdah. Bei the teim evreebuddy's paid bei card – whei divvint peepil carry cash nee maw? – yerz fenalee get tuh the front an the woman on the till haz tuh change the till rerl befaw she can take yerz card an purrit through the machine an then ring yerz food through. Then yerz have tuh gan an get yerz salt an tha, an a neef an fowk, an bei the teim yerz ackshillee sit doon tuh eat yerz meal itz tertally freezing, pet. So yerz just have a nibbil of it an leave the rest. Ah've nevah seen anywhor else wi so much unet food on the tables as motawey sorvices. Have a look the next teim yerz aw in one an yerz'll see wharra mean.

Customer Relations

Compared tuh America we divvint dee customah relations tha well dee we? Noo Ah divvint think tharra could point it oot any bettah tha summat tha happened when Ah wuz oot in a littil café one teim wi mei mam an tha. We'd gan oot tuh toon early tuh dee a birruv retail therapee an so bei lunch teim we wuz berth storvin an fancied gerin uz a beet tuh eat an tha. Ah wuz jus gerrin a bottil a wattah buh leik Mam waz reely well storvin so she lerks at the menu an spots a breakfast buttie an ordaz a one a thim.

'Yerz cannat have a one a thim coz thor ernly on faw breakfast an tha stops at eleven thorty,' seys the gadgie on the till. It wuz ernly aboot eleven thorty-feive meind, buh despeet tha thor wuz nee wey tha the whor ganna dee the buttie faw Mam. Just nee way nee hoo! But then leik Mam spots tha yerz can bei sausages an bread aall dee long. So she ordaz tha an asks tha leik if it wuzzen too much botha tha the 'chef' meight feind in hiz hort to make it intuh a sandwich faw hor.

'Wor not allood tuh dee tha,' seys the gadgie. 'I can dee yerz two sausages and bread and buttah bur if yerz wanna a sarnie then yerz'll have tuh dee it yerzself.'

An tha's wha the ackshillee brought oot man! Two sleeces a bread an two sausages an Mam had tuh dee wor ern sandwich. Amazin, leek, we wor berth speechless.

Buh can yerz imagine tha keinda thing evah happenin in America? Nee wey man! Ovah thor thi'd be happy to mill the flowah, bake the bread, rear an slaughta the pigs, make the sausages faw yerz, cook thim an then dee yerz a sandwich aw a hundred a thim if yerz wanted at any teim a the dee, twenty-fowa seven. An th'd dee it aall wi a smeel on thor face.

Wimbildin

Noo itz not Wimbildin the place that getz on mei norves, aw the Wombils aw evein the tennis, man pet.

Itz just one thing in particulah aboot the tennis tha dreeves uz mentil evree yeeah. An itz these ferks tha shoots oot 'Come on Tim' aw 'Come on Andy' dependin hooz pleyin faw wor, evree teim thor's a point aboot uh be played. It just sounds stupid man, an anyhoo it duzzen woak coz Tim aw Andy divvint evah win Wimbildin so what's the point in it man? Daft. We aall kna hooz pleyin the match an as itz happenin in London wor British pleyaz problee have a fair idea tha merst a the crood's on thor seed. So plonkaz tha shoot oot thor name evree ten seconds must get reet up thor nerzes.

An then thor's them weemin tha's oot thor sittin on Henman Hill aw Murray Moontin aw whatevah itz caaled. Leik merst a the ones tha the reportaz inter-view aw well tee erld tuh be gerrin aall unnecessary aboot young ladz leik tha. In fact merst a thim's erld enough tuh be thor mams. Itz just sad ladies an yerz look leik a gang a dorty erld weemin oot on a hen neet waitin faw the strippaz tuh come on. Gan tuh the tennis, bei aall means, buh please dee uz a favah, keep yerz traps shut! Yerz aw spoilin it faw the rest a wor! The reel true fanz an studentz a the game.

Spinnach

Ah divvint leik it. Itz just this horrible keinda slushee

green stuff an it lerks a bit funnee an aall an tha. Wei tha Popeye gadgie leiks it so much Ah'll nevah kna man.

Peepil's pets

Tuh tell the truth itz nut thar Ah divvint leik pets. Ah mean the pets are feen in themselves, Ah've gorra coupla dogs meiself an tha. Bah whar Ah divvint leek iz the fuss tha some ownaz makes ovah thim, nut so much wi gerldfish aw hamstaz an ones leik tha, whar Ah'm reely gerrin at is cats an dogs in particulah.

Leik faw some thor cats an dogs become leik kidz instead a pets an the ownaz loose thor porspective an gan bangin on an on aboot thim as if the whor huminz. Leik thor's this woman on the radieau what nevah shuts up aboot hor cats. Shiz aalweys gannin on aboot thim an telling uz aboot hoo clevah the aw an aboot aall the stuff the kna an tha. In fact tuh heeah hor bangin on yerz'd be forgiven faw thinking tha these cats whor ganna reet a thesis on the creation a the univorse aw summat leik tha. Itz a lerda rubbish man. Cats divvint give a monkeys aboot thor ownaz except when the ownaz gorra can a Kitty Kat in thor hand. Aall of a sudden the cats shers a birruv interest then aall reet, but as soon as thiv had the grub, pet, the gan aff an dee thor ern thing catchin an killin meece an bords an tha an divvint gan neah yerz until itz grub teim again.

Then thor's the dog ownaz tha teach thor dogs tricks and sortinlee dogs aw a lot more interested in thor ownaz than cats aw, an some a thim can be very clevah an dee aall sortz a clevah stuff. But the one trick that gets on mei norves is when the get the dog tuh boawk an then sey 'Aw listen tuh him speakin, izzen he clevah?'

Well two things aboot tha. Foast he izzen particulally clevah coz leik he's just been brainwashed intuh deein it faw a rewahd of a few scraps aw summat leik tha. Secondly an maw impotantlee, he's not reely speakin at aall. Heez just boawkin; the merst natural thing in the woald faw a dog tuh dee. Leek if yerz wor tuh recoad aall a thim boawks and give thim tuh a professah a linguistics tuh analeeze on hiz computah, Ah'll bet yerz a poond tuh a penny the wudden be abil tuh undastand wha the dog's gannin on aboot man. If truth be terld heez problee seyin tuh himself 'Wei divvint yerz aall leave uz alern, yiz bunch a gets! Ah just wanna sleep heeah in front a the fiah man pet woman. Woof! Woof!'

Ah just wish pet ownaz wudden trei an ram thor supah clevah pets doon thor visitaz threrts man. If we wanna make a fuss aw strerk thim we will man. Wor not bleend. Itz norraz if wi'll miss thim. Thi'll be thor aall reet hangin roond uz as soon as thor's any food aboot; waitin tuh sher uz aall hoo well the can speak! Yerz can be shua a that. Nee botha.

The Sner

Leik mei view a sner has changed since a used tuh be a littil gorl. Ah divvint think tha thor wuz owt thar Ah wanted maw than a wheet Christmas an some Borbie dolls an tha. It wuz magicil. But leek wha Ah didden undastand wuz aall the hassil thar it causes an aall, man. Complete pandemernium. It wuz yerz mams an dads tha had tuh deal wi tha seed a things.

But noo Ah hate seein the sner coz the foast thing tha happenz is tha evreething an aall the countreez infrastructcha greends tuh a halt. Busses an trains aall gans up the left an yerz cannat get tuh naawhor. Then next thing peepil gans mentil an adopts some keinda siege mentality bei gannin doon the supamoaket an strippin the shelves a anything tha izzen nailed doon man. Itz shockin, pet. Britain just cannat hack it, an when Ah sey Britain whar Ah reely mean is the Sooth East an London in particulah.

Noo when Ah wuz grerin up in the Noath East we had a birruv sner moast wintaz an tha an we still managed tuh carry on wi merst things, buh leik even a tenth a tha amoont in London an it aall gans pear-shaped man. Maw than half a millameeta in the Sooth an itz headleen news man. Thor's emergency news bulletins evree feive minits an the govamint haz crisis meetins evree dee. Buh leik Scotland, Eiland an Noath England's covahd in aboot three feet a the stuff regularlee but yerz wudden kna a thing aboot tha man.

Odds an Ends an Musings

Peepil someteims sey tuh uz, 'Cheryl pet, it must be great bein yerz, man woman man. Wha wi yerz supastor leefsteel an aall.' An if Ah'm bein honest an tha, Ah'd hav tuh agree tharrit iz, pet. It soatinlee beatz digging herls in the rerd faw a livin. Buh what these ferks divvint see iz aall the hortache an stress Ah gan through tuh make shua thar Ah'm lookin mei best wi the reet lippy on an carryin the reet hanbag tuh match mei shoes an tha. Bur uv coase Ah divvint leik tuh complain tuh them; thi'd nut wanna heeah tha from a one a thor heroines wud the? Buh just between uz pet it reely takes itz terl on uz someteims. In this section Ah'd leik tuh shaw wi yerz some a things tha keeps uz awake at neet when Ah'm treein tuh get tuh sleep.

Wei didden the French painta Monet change his name man? Coz leik thor's anutha one caaled Manet an tha getz well confusin pet. Noo if Monet hadda caaled hizself Beauchamps aw Beaujolais, summat leik tha,

35

then peepil wudden gerrim mixed up wi Manet. But leik tha's typical uv the French izzen it? The nevah dee owt to help wor English. Pfft!

Ah'm against aall this stuff on wor TVs an aall ovah the media treein tuh gerruz tuh gambil on spoat an onleen an tha. Thi'd tree an gerruz tuh gambil on a coupla flays walkin up a wall if the cud. An Ah jus think tharritz rerng. Gamblin's terribil man. Ah had a fren a one teim, reet, an he went intuh peenappil fawmin against a lerda adveece telling him not tuh. Buh leik against aall the odds he prerved aall his dootaz rerng. In fact he was so successful, pet, tharry became a millyinaw oota it. But just when he'd evreething he cudda evah wanted he took up gambling an next thing, wi'in six munths he'd lost the lot! Feeled faw bankruptcy he did. Tha's reet, pet, aall hiz money from peenappils ganned jus leik tha. Aye he'd frittahed it aall awey. Shame leik.

Tha *Dancin on Eice*'s a bit leik *Strictlee Come Dancin* izzen it? Meind thor's just a one big difference an tha's tharritz on eice! That's just mentil izzen it?

Dramaz set in the Noath East getz on mei norves man. Because thor aallweys chockka wi woakin class stereauteeps hooz nut gorra penny tuh thor names an hooz leif iz nuthin but constant miseree. Leik, aall the charactaz is doon at heel menyil woakaz trodden on bei the uppah classes. Catherine Cookson's books are reet canny an tha, buh leik when the wor made intuh TV shers the wor evin maw miseribil than yerz avridge episeaud a Eastendaz, pet. An wei duz evreebuddy taak funnee in thim? Thi've aall got these reginil accents except Load Foanes Boanes, an he speaks wi a plum in hiz mooth. Heez aalweys havin his wicked wey wi aall the dermestic staff. Whar aw the treein tuh sey? Aall gorls frum the Noath East's easy? Come on TV companies, get yerz acts tugetha men women pet men! Leave it oot wi aall tha reginil stereauteepin treep man.

Ah'm thinking a reetin a series a books faw bairns leek Madonna and Princess Forgie's done. It cannat be tha difficult if them two's done it leek. All yerz need is to make up a littil funnee characta, a bus or mebbes a caw aw summat, an then yerz contrive tuh put it in situations tha the bairns can relate to. Ah'm thinking a makin it summat tha woaks on a tertally superficial level but yet wi a birra thort also woaks on a deepah more spiritual level. A keinda modun parable tha will teach them a lesson faw thor adult leefs. A bit leek the Chuckil Bruthaz aw *Rentagherst*.

✳

Not tha Ah have a problem aw owt az mei stor is in the ascendant, buh Ah have thort once a tweece aboot hoo Ah meight prelerng mei career shud it evah, unlikelee az it sounds, gan on the wan. So noo wiv come up wi a bleendin idea. Coz whar aboot tha time Prince changed his name tee tha funnee thing tha neebuddy kna'd hoo tuh say? Apparentlee it did him nee hoam at aall an he serld a lot more CDs. So as a plan B an if Ah evah need tuh dee the same thing Ah've had a new name registahd. Aw itz mint man. Itz a keinda squiggle thing an it looks amazing in print pet. So hoo knaz one dee yerz meight be callin uz طؤم

✳

Theu leik divvint ask wor hoo tuh prernoonce it coz Ah wudden have a Scooby Doo aboot tha. Thing iz tharrit'll look well good an Ah'll be abil tuh have it done as a tattoo faw mebbes a one a mei CD covaz.

✳

Ah've someteims thort tuh meiself 'Cheryl, pet, if yerz worn't a glerbil supastor wha wud yerz dee tuh make a livin an tha?' An Ah think Ah'd have tuh sey thar Ah'd merst likelee gan intuh sales, coz leik Ah think Ah've got the poasinalitee tuh dee tha keinda woak. Buh leik it would have tuh be something dead straight. Ah cudden dee owt iffy an tha.

Leik this one teim Ah met this womin arra poaty an she treed tuh gerruz inverlved in a birruv an iffy sellin ventcha. She said she hadda bizniss oppatunitee tha cudden gan rerng. She wanted uz tuh invest ten thoosan poonds in some keinda thing, an if Ah then got anutha feive a mei frens to dee the same, Ah'd get fifty thoosan back! It sounded OK pet man, buh summat purruz off. Ah divvint kna exactlee wharrit wuz buh it just didden soond a hundred poacent reet. Then she telt uz the bit tha helped uz make up mei meind. She said tha apparentlee it wuz summat caaled a pyramid sellin scheme an tha it wuz well populah in America. So Ah says tee hor 'Aw, pet, that's made up mei meind. What would Ah dee wi a pyramid? Ah'd have nowhor to keep it pet.' Man, she just looked at uz, screamed an then ran oot.

✳

Ah often think thar Ah shud dee an album a classic covaz an duets wi various peepil, just leik lerdza utha singaz dee when the cannat get nee new original material soated oot. Ah mean yerz divvint have tuh put hoadlee any effoat intuh it man. Just get an arranja tuh pick aboot fifteen serngs an tha and gerrit knocked oot in a dee. Meind itz a very populah thing tuh dee at the minit an Beyoncé an Ladee Gawgaw's evin done a one recentlee. So Ah wuz thinking mebbes Ah should have a woad wi Seimon an gerrim tuh giveuz Sinitta's numbah aw mebbes Sam Fox's tuh see wha we can come up wi.

Looking Good

Yerz can nevah look good enough can yerz? So heeah's mei inseet intuh what's hot an what's not an tha man woman.

Hanbags

Hei, yerz kna wharritz leik gorls divvint yerz? Yerz gerran inveet tuh a weddin aw summat, aw mebbes a fren's borthdee poaty and yerz need a new ootfit. Well altheu the engagemints thar Ah ger inveeted tee, premiers, balls an big shers an tha, an yerz ger inveeted tee ones leik mebbes yerz sistaz weddin an tha, the principil's the same. Poat a the ootfit's ganna be a new hanbag izzen it? Soa wor der yerz gan to bei it?

Ah supperze tha's a birruv a retorikil question in yerz case. It's likelee ganna be Awgos, Rivah Islan aw mebbes Moaks's. An leik Ah'm nut bein teight aw owt, pet, thor OK an tha, but thor nor exactlee ganna torn heids at the event aw the? In fact leik if yerz awn't careful yerz could aall end up wi the same bag, an at mei level leik, tha could be a tertil dizastah! It'd be aall ovah the media in a coupla hooaz. The tabloids an *Heat* an tha. Just thinking aboot it noo's givin uz the collywobbils.

So tuh avoid the leiks a tha happenin tee uz wha

43

Ah dee tuh make shaw it duzzen happen tuh uz? Simpils! Foast a gerron a plane an gan oot tuh Rodeeau Dreev in Beverley Hills. Then Ah gan an see aall the deseenahz an tell thim tuh deseen a one-off hanbag faw uz. Leek itz a bit pricee an tha, burritz woath it. It can be ten thoosan well spent when yerz aw arra premier an Gwyneth Paltreau seys tuh yerz 'Hei Cheryl, pet. Ah love yerz hanbag.'

Buh leik wharevva yerz dee divvint be tempted tuh gan doon the moakit an bei a cheap designah copy leik a Gucci one, coz leiklee a lerda gorls'll have had the same idea an itz ganna be propah embarassin faw yerz aall. So mei adveece is gan az hee az yerz can faw yerz bag gorls. Evin if itz ganna cost yerz fifteen poond faw some keinda exclusivity. Yerz'll thank uz faw it in the end.

Deeits

One thing tha evreebuddy asks uz aboot is hoo Ah manaj tuh keep mei amazin figga, wha wi aall the temptation put in mei way wi sherbiz dinnaz an celebritty leefsteel. An Ah'll tell yerz this leik itz not easy. Ah've not treid aall the heigh prerfeel deeits, me – the Atkins, GI, Cabbage Soup an the Sooth Beach – coz Ah divvin think they'd woak faw uz.

Leik this one teim, reet, Ah harra TV tuh dee wi Gorls are Lood an the neet befaw Ah et a squaw a Dairy Milk, an when the studieau directah seen uz the next dee he seys 'Cheryl woman man, yerz haven haff let yerzself gan, pet!' An aftah tha he made uz heid beheend poat a the set faw the pregramme. An even tuh this dee Ah cannat watch the playback a tha sher meiself. Ah'm the seeze uv a hoose in it!

So noo Ah think tha reely the ernly way tuh lose weight is tuh fawget aall thim deeits coz the divvin woak long-term. The secret is just tee not eat any propah food at aall. It can be a bit trickee, but luckilee coz Ah'm fantasticalee wealthee Ah could affoad tuh have aall mein made bei NASA. Yerz kna, the same sorta bait as wha the astreunawtz getz when thor up in ootah space?

Mei adveece tuh any a yerz tha's struggling leik Ah used tuh is wei not dee the same wi yerz chips and borgaz an tha? Just purrit aall in a blendah and whiz it up an then freeze it in an eice cube tray. Meind, it'll nut be anything leik what NASA makes but it still meight help yerz, coz likelee it'll taste mingin so yerz'll mebbes nut wanna eat it an tha. Buh if tha duzzen woak faw yerz wei nut get yerz tummies sewen up leik tha bord hoo used tuh dee *Readee Steadee Cook* did. It woaked faw hor didden it? She duzzen look tha bad noo duz she? Torned intuh a reet tidy bord.

Body Awt

Thor was a teim when if yerz had tattooz then peepil thort tha yerz were a trubbil makah, a circus strong man, a skinheed aw a sailor aw summat. Certainlee the average puntah nevah wudda had one, but noo wi modun trends an fashin tha's aall changed. Evreebuddy's got thim; from MPs tuh vicaz, doctaz tuh dentists, nuns tee lap dancaz, yerz name it thor evreewhor man pet. Ah've evin gorra few meiself an the sey a lot aboot hoo yerz aw. Thor a keinda statement tha seys 'Ah leik havin woads an pickchaz drawn on uz man.'

Ah supperze a one of the foast gorl celebs tuh have a one wuz Paula Yates an aftah tha it became maw acceptibil faw gorls tuh get thim. Nooadees yerz see peepil what's covahd in them an the even have thim on thor faces an tha. Leik tha's well mentil an leik honestlee them ferks need tuh be locked up aw get some keinda help at least.

But tattooz awn't ernly a body accessoree aw a fashin statement, the can come in well handee too faw some peepil what's fawgetful an tha. A populah thing tuh have nooadees if yerz aw a young blerk is yerz name tattooed on the inseed of yerz forearmz. Noo faw some peepil that's a bit daft leik, but just considah this if yerz will. Wha if yerz a poasin what getz a bit nervous aw fawgetful in a hee presshah sershil situation. Say yerz mebbes arra poaty aw the polis stops yerz faw a minah traffic offence aw summat. Well if yerz get asked yerz name and yerz're tee shei tuh ansah, then aall the have tuh dee is read it off yerz armz, an itz job done, izzen it? Ah supperse the ernly problem wi tha would be if itz wintah an yerz have gorra lerda layaz on, aw mebbes yerz arra birruv a thickeau aw a mentil a some sort an yerz cannat read. But faw merst ferk it'd woak well.

Buh leik itz not just the ordinree ferks tha aw gannin oot an gerrin covahd in tattooz. The tattoo haz become the must-have feature of some of wor top celebs.

Az Ah sey Ah've gorra few meiself an wharraboot David Beckham? Heez got lerdz a thim an tha. Each one a hiz has a special significance an all. Leik heez got the names of hiz bairns written on him, canny idea if he cannat remembah wha thor caaled at any teim. Theu coz thor on hiz back he'd need some keinda mirra handee if he wanted tuh read them. Eitha tha aw Posh could mebbes tell him if she wuz aboot the hoose. Heez also got the numbah 7 tattooed on hiz arm. Again well good if sey heez in a pub quiz team an the question is 'what numbah comes between 6 an 8?' Ah think tharreez got some mystical signs an tha as well so it just goes tuh sher thar heez a well deep spiritual guy.

And it runs in the familee an all. Coz leik Posh's gorra few of hor ern. Shiz got three stors at the bottom uv hor back, some well funnee lookin charactaz doon the back of hor neck and summat else tha yerz cannat read on the inseed of hor wrist an tha. The aall look mint man!

Meind not aall tattooz are a tertal success. Someteims yerz heah stories uv ones tha's ganned wrong an tha. So mei adveece is if yerz aw ganna have a one done then gan tuh a tattoo awtist tha can draw propalee pet woman man. Coz jus sey tha yerz have a beautiful poatnah; mebbes yerz weef, yerz husband, yerz gorlfren aw boyfren an yerz deseed tuh gan an have thor face drew on yerz back. Well if the awtist izzen veree good leik an thor crap at drawin, yerz could end up wi a pickcha uv a reet muntah on yerz back an worst thing iz tharrit'll be thor faw the rest uv yerz leef. An make shua tha the tattooist yerz pick can spell propalee an tha an aall, coz say yerz weef is called Joan an yerz gan tuh ger hor name mebbes writ on yerz chest an tha. It could be well embarrassin if evree teim yerz hoy yor short off it seys 'John' instead. It could take a birruv explainin in aall sortz a situations cudden it?

Makeovaz – Presentin the New Yerz

Makeovaz are all the rage these dees. The nation's obsession wi thim is just leik thor obsession wi celebritty as yerz see them everywhor. In magazeens an on TV. Leik thor's herl shers deverted tuh them izzen thor?

Ah think the foast teim Ah seen one wudda bin on summat leek Lorraine on *GMTV*. Ah'd a bin a littil gorl at the teim watchin wi Chardonnay mebbes on wor school holidees. Have Ah telt yerz aboot mei fren Chardonnay? Aw man shiz a fren a mein an Ah've knern hor since schooldees back in Newcastle. Shiz livin doon in London noo an aall so itz lovalee tuh see hor someteims, buh leik shiz reely a bit mentil.

Ah wuz havin a drink wi hor recentlee an we wor taakin aboot it an az Ah sey, lek shiz awfil man. Heeah she gans tuh uz, 'Aw Cheryl, dee yerz remembah watchin Lorraine, pet? Leik the aalweys got some reel muntah on tha looked well frumpy. They'd fillum hor taakin tuh Lorraine an then the'd take hor backstage an gerra team a beauty exports tuh dee hor make-up, hor hor and he clerthes an tha. Then at the end a the sher the'd bring hor back oot aftah aall the woak had bin done an dee wha the caaled a "reveal".

'Problem wuz theu, pet, tha maw often than not the still looked leik a muntah, but ernly wi bettah make-up an flashiah clerthes an hor an tha. But Lorraine still had tee lie through hor teeth an sey wharra wondaful transfoamation thor'd been, theu yerz cud tell tha she didden mean it man!' Buh leik tha's Chardonnay faw yerz. Shiz terribil, pet!

Nooadees itz moved on an thor's preem-teim evenin shers tha's deverted tuh it. The foast big one wuz them two posh bords, Trinny an Susannah, who made a reet tidy livin oota it. The introduced Britain tuh magic knickaz an tha, didden the? An the didden just dee weemin, coz bei the teim evreebuddy'd rumbilled wha the wor at, the'd stoated tuh dee blerks as well. Meind Ah divvint think thi'v bin on noo faw kweet a wheel.

The new kid on the block wi a big sher deein it is tha Gok Wan lad an he even getz weemin tuh get thor clerthes off faw the cameras an the end up storkaz. The genre may well be changin an everlvin aall the teim, bur Chardonnay says the one thing tha remains constant throughoot all the shers is tha the aalweys seem tuh pick muntahz tuh dee the makeovah on.

Ah'm shua thor lovalee peepil pet, burritz jus tha the subjects nevah seem tuh bee very fertergenic. Meind, tha Gok Wan someteims makes them look lovalee at the end – who seys yerz cannat make a silk porse oota a soo's eah?

Body Piercins

Hei leik Ah divvint kna wha thor aall aboot man. The seem well daft tuh uz an tha. Leik hoo'd wanna hav things stuck intuh thor bodies makin herls aall ovah the place? Mentil! Noo as yerz kna, Ah leik a tattoo aw two me, an havin yerz eaaz pierced's OK an tha; very gorly in fact unless yerz aw a blerk, buh leik once it gans beyond tha then it givz uz the heeby-jeebies.

Someteims yerz can be oot in a bar havin a drink an tha an aall of a sudden yerz look up an see sumbuddy wi aboot feive studs in each eah, a metil baw through thor nerse and some utha stuff hangin oota thor mooth an lips. Leik hoo the manij tuh have a drink wioot it pourin ootta thor mooth leik a waterin can Ah divvin kna. Ah divvint kna wha the think the look leik man but gannin through the metil detectah at an airport must send the alarms completlee bonkaz.

An quite often thor meight be a sercial woakah on the TV, say on the news an tha, an thi'll hav breet orange aw pink hor an a lerda piercins stickin oota thim leik some keinda mentil hedgeherg. Ah divvint think thar Ah'd leik them soata peepil makin decisions aboot mei bairns, mei nanna aw grandad aw owt. Leik wha keinda judgement does gerrin the leiks a thim things sher?

An it getz worse coz yerz heah aboot some gorls tha getz thor preevit bits an pieces pierced too an tha. Tha's shockin man an thor's nee wey Ah'd be gerrin it done. Ah divvint think yerz'd be able tuh sit still evah again if yerz haddit done tee yerz.

Bur itz not ernly gorls tha haz them, yerz get gadgies deein it too just as bad, an of coase itz not ernly thor faces izzit? Thor's summat tha blerks can get caaled a Prince Albort an God knas wha tha's aall aboot pet! Bur the gerrit done on thor doonstors tackil, man woman man! Bei, itz makin uz squorm jus thinking aboot it. If yerz divvint kna wharrit iz then hadaway an gan an Googil it. Theu make shua yerz hav had yerz tea foast theu but pet man.

Constructive Surgery

Peepil ask uz 'Cheryl, pet, have yerz evah had any woak done an tha?', and leik Ah divvint kna weatha tuh just laugh aw be insulted man. Ah'm ernly twentee-seven yerz kna! Come on man woman pet man! An leik see in aall honestee if Ah'm ganna be needin any woak done tuh uz at mei age, then God help uz man bei the teim Ah stoat knockin on.

Hooevah itz summat Ah meight considah once Ah gerra bit erldah, say aboot 30 an tha, coz leik the ravages a teim cannat be held back, an if yerz aw in mei position whor yerz looks (an voice uv coase) aw yerz fawchoon, then yerz need tuh considah givin yerzself the competitive edge divvint yerz?

Meind Ah wudden gan mad leik some a thim dee, especialee the Americans in pawticulah. Man the state tha some a thim end up in is shockin izzen it? Leik this one teim Ah wuz on a chat sher an thor wuz this erld boilah on wi uz pet. She wuz aboot fifty-feive an Ah divvint think thor waz owt she hadden had done tuh hor face man. An nut just hor face, aall uv hor come tuh think aboot it.

She came oot from beheend the daws an hor boobs came doon the steps an sat doon three seconds befaw she did. She hadda keinda fixed smeel tha didden change faw the herl twenty minits she wuz on; even when she wuz taakin aboot hor tragic cheeldhood, man. She spent the herl intaview grinning leek a Cheshor cat pet an she had a paw a lips tha wudden looked oota place in a gerldfish berl. If Ah wuz ganna use a singil woad tuh descreeb hor Ah think tharrit would have tuh be stretched.

Thor wuz a coupla gadgies in the wings in wheet coats alerng wi a team a paramedics an Ah wondahd wha the whor deein thor, buh leik aftah the sher Ah asked wor herst an he telt uz it wus just in case she'd sneezed aw summat. He said thor cudda bin tertal cawnidge in the studieau.

An itz not ernly weemin tha haz it done; a lerda blerks is havin it maw an maw. Someteims arra poaty oot in LA yerz think yerz have stumbiled ontuh the set a some keinda horrah fillum an tha's coz neebuddy looks reel any maw. Tertally mentil.

Aw coase the utha thing tha seems tuh be happenin maw an maw is tha stors aw marryin thor plastic sorjun, aw should Ah sey thor reconstructive cosmetic consultant. Meind Ah doot if thor's much love in thim relationships. Ah reckon thor maw sorta marrijiz a convenience. Leik it keinda suits berth poaties. The benefit tuh the stor is tharra keeps the bills doon; leik havin woak done izzen cheap, wheel the benefit tuh the sorjun iz thar even if thor a baaldee littil get aboot feive feet three, the still end up wi a teedy lookin boilah on thor arms tha thi'd a nevah a got if thi'd bin, sey an perstie aw summat leik tha.

Yerz can evin get voochaz noo as borthdee an Christmas presents tuh hav woak done an aall. Hei, wha evah appened tuh book an recoad terkens man? Ah supperze itz jus a seen a the teims. We live in an age and a socitee tha's obsessed wi looks an image. Leek an Ah think thar itz rerng pet, coz leik yerz'll see aall these littil gorls tha wantz tuh be leek thor heroines an it jus izzen reet. Ah think tha stors them-selves should step in an dee summat aboot it theu. Yerz kna mebbes alloo themselves tuh be seen not aall made up an tha, mebbes say woring a pair a trackie bottoms an an erld t-short pet. Meind Ah cudden dee tha meiself coz Ah have mei image an reputation tuh think aboot. Mebbes when Ah'm a bit erldah.

Haute Coochoor

One a the best things aboot bein a woald-weed icon is tha noo Ah can affoad tuh gan mad when it comes tuh gerrin uz new ootfits an tha. Leik mei dees a gannin intuh Top Shop wi a tennah tuh spend on two diffrint ootfits has lerng gone. Meind the odd teim, pet, Ah look back on tha wi a sense a woamth an nostalgia, buh then Ah quicklee weeze up an reealeeze tha havin a voatshilly endless supply a munnee tuh indulge meiself is so much bettah.

Ah gan tuh aall the big shers when Ah can. London, Rerm, Milan an Paris, an Ah tell yerz this, pet, Ah usualee bei lerdza stuff an tha. Some a the stuff yerz see is a bit mentil buh leik yerz divvint have tuh bei any a tha junk. Aall yerz dee is sit in the crood an when a modil comes on wearin a space suit an a hot air balloon on hor heed, yerz look deleted an stoat clappin leik mad. Evreebuddy thinks yerz aw well sophisticated, an then when the deseenah takes a bow at the end of the sher yerz stand up an gan mentil wi aall the uthaz sickofantz. Then lataz when yerz gan an purrin an ordah wi the deseenah yerz just ordah the normal geah an leave aall the bonkaz stuff faw Ladee Gawgaw.

Az mei ern brand empiah extends Ah've bin thinking aboot stoatin mei ern coochoor label an Ah'm inverlved at the minit wi a team a deseenahz woakin on mei foast collection. Itz a bit keinda trickee coz Ah haven got a lot of experience in hoo tuh ackshillee make clerthes. But Ah can descreeb a rough idea tuh the team an then they can make it up faw uz an tha. The nomalee take mei initial idea az a stoatin point an then the dee what the call 'embellish' it. Tha's a woad Ah've nevah hord befaw buh wharrit seems to mean is tha yerz take one idea az a stoatin point an then dee something tertally different tuh tha. So faw itz woakin reely well an what wiv come up wi is well exseeting. Ah cannat give tee much awey at this stage. So leik watch this space pet man woman pet.

Ah'd leek tuh think tha eventualee Ah'll come up wi an iconic statemint aw steel thar'll re-reet the rule book, a one that'll stand the test a teim. Summat leik the Channel Suit aw the Mary Quant Miniskort, an tha in anutha fawtee yeeaz peepil'll be taakin aboot a Cheryl Kerl...whatevah, mebbes fleece aw beeny hat aw summat leik tha. Still tha's a lerng wey awey faw noo, Ah'll be just made up when Ah give mei foast catwalk sher. Ah'm herpin faw a London launch next yeeah an mei peepil's sent emailz tuh Naomi, Claudia an Kate an tha wi a coupla sketches uv preliminaree deseens askin thim tuh modil faw the collection, theu so faw none a thim's come back tuh uz.

Ah think tha's the herl point a bein blessed we an awtistic brain. Yerz aw aalweys thinking aboot weys tha yerz can hoaness yerz creative abilities tuh come up wi maw stuff. Coz noo Ah've got mei singin an music aall soated oot, Ah'm ganna give maw a mei creative input ovah tuh gerrin mei literaree career, orgasmic produce an haute coochoor deseen ideas up an runnin. Ah mean jus look at some the utha gorl singaz man. Thiv got thor music, thor scents, thor books, knickaz an hoo knaz what else aall oot thor in the public dermain. An take it frum me pet, coz Ah've met a lerda a thim in porson; merst a thim haven the foast idea aboot any a that stuff. Merst a thim cannat even sing if Ah'm bein honest. Buh because thiv got good peepil aroond thim wha the dee is use thor wealth tuh get peepil in tha can dee it aall faw thim. Ah think tha's cheatin.

Leif in the Leemleet

Tuh tell yerz the truth Ah prefaw leif in the sunleet bur it duzzen fit wi this birruv the book. This bit's aboot bein a stor an tha.

WAGs

Thor's a lotta taak in the press aboot whar itz leek tuh be the poatnah uv a top footballah. Gorls hoo gan oot wi, aw get married tuh thim, get caalled WAGs in the papaz an in the media an tha. It stands faw 'Weaves an Gorlfrens' an of coase WAGs can become stors in thor ern reet an can use thor heigh prerfeel in the media tuh launch thor ern careers. Anything frum popstor tuh novelist. Some bring oot thor ern clerthes range aw evin thor ern scents an cosmetics.

Peepil someteims ask uz hoo yerz get tuh be a WAG an Ah tell thim tuh hadaway an get themselves a career as a modil, a popstor aw mebbes a reputation as a birruv a slappah foast. Coz wioot them soat a credenshillz yerz aw, if Ah can mix mei spoatin metafaws heeah, battin on a birruv a stickee wicket.

Bein a WAG's a very impotant rerl in wor modun socitee leik, an hoo WAGs behave durin Woald Cups is of paramoont impotance, pet. If the divvint look reet aw wear the reet clerthes it can have a big effect tha can affect the team's perfoamance an then wor nation's morale.

Say faw exampil England gets knocked oota the Woald Cup at eitha the group aw qualifyin stages; well if thor wuz naa WAGs, man pet, the pleyaz aw manajaz'd have to be blamed faw messin up, an leik fans aw the FA cudden have tha. Nee wey cud the pleyaz be expected tuh shoulda the blame.

But soa long as the WAGs have been seen oot, leik havin a good teim, shoppin aw mebbes gerrin bladdahd in a neetclub, then they can be held responsibil faw distractin the pleyaz an then the WAGs bad behaviour can be used as an excuse faw wei the team has crashed oota the competition in disgrace.

The Cult a Celebritty

Yerz kna, the question thar Ah'm asked aall the teim is 'Cheryl, pet, wha dee Ah have tuh dee tuh become a celebritty like wha yee aw?' An itz aalweys young gorls tha asks it. Theu Ah expect tha young gadgies ask Haree Hill the same question an if Ah'm stuck somewhor, an Ah cannat dodge by thim an gerrin mei limeau oota the wey aw tha, Ah aalweys ask thim wha dee the dee. Faw exampil dee the sing, aw pley an instrument aw mebbes act aw summat? An neen teims oota ten the ansah uz, 'Naa Ah just wannabe famiss.' Well leik an Ah'm not treein tuh be funnee aw teight aw owt buh thor's the problem in a nutshell.

We live in a socitee tha's obsessed bei success, celebritty an aall itz trappins. It's everwhor man! In magazeens, on wor TV, in books an fillums; wor bairns is bombarded bei it an unleek the erlden dees when peepil acheeved celebritty status through ackshillee deein aw bein summat, noo thor's a herl army a neebuddys tha's famiss just faw bein famiss. Littil gorls seez thim an the wannabe leik thim buh the problem

69

iz tha these peepil have nee career path tuh follow; nothing the littil gorls can dee tuh copy them. Not unless yerz coont gannin oot wioot nee knickaz on yerz, an then get papped gerrin oota the back uv a taxi.

In mei rerl az a judge on *X Factory*, Ah see aall sortz a peepil tha thinks thi've got wharrit takes tuh be a stor. Buh leik Ah just wish thor frens an familee'd have a woad an tell thim the truth instead a encouraging thim. It'd be best faw thim reely. Peepil jus gerrup on the stage an make fools a themselves jiggin aboot an singin leik a tern-deaf singah tha's got a particulally bad case a tern deafness. Thor shockin buh the still think tha one dee thor ganna be famiss, an itz hord tuh tell thim tha the willint coz the just haven got nee talent.

Wha the shud dee is study stors leik me coz in mei case Ah've purrin the hooaz. The bonny babby contests in Newcastle then reginil talent shers an feenally gerrin picked faw the band in *Pop Stors the Arrivils*. The rest is histree an noo Ah'm a glerbil phenomenon. But evin wi mei talent Ah divvint lose seet a one thing. When Ah'm asked wharrit is thar Ah *am* exactlee nooadees the ansah is aalweys the same, 'Luckee, pet, tha's whar Ah am.'

70

Supastordom

The question thar Ah'm asked maw than any utha is 'Cheryl, wha's it leik bein a stor?' An Ah aalweys ansah the same. Ah tell peepil tha altheu Ah'm fantasticalee wealthee an mei qualitee a leif's amazing, it's not aall fun. Thor's a lot maw hard woak inverlved than yez'd think.

Merst peepil cannat appreciate wharrit's leik havin tuh gan oot tuh sherbiz poaties an tuh get paid amazing amoonts a munnee faw deein yor music, yor television woak and advoats an tha. Take it frum me, pet, leif's a lot eaziah faw ordinree ferks, coz the divvint have tuh employ accoontants an lerdza utha key staff tuh make shua thor millyins is looked aftah reet. It's anutha woald. Believe uz.

Nut tha supastordom's aall a hoad greend. Ah wudden wanna come across as soondin ungreatful an tha. Sortinlee bein a stor, is, on balance, bettah than bein a tertal neebuddy. It haz certain pawks an benefits an tha. The munnee, faw exampil, helps cushin the bler uv yerz havin become public propatee. It keinda makes up faw aall the peepil tha wantz a piece uv yerz an tha. Nooadees Ah cannat gan oota mei hoose on mei ern tuh gan tuh the shopz wioot paps chasin aftah uz an peepil lookin faw auteaugraffs.

Anutha good thing aboot bein in mei position iz tha Ah get the best seats gannin anywhor. Ah gan tuh a restaurant an the givvuz the best seat in the hoose. An restaurants frequently lerruz aff mei bill, just because uv the prestige the get oota mei visitin thim. Meind itz ernly fair when yerz think aboot it coz merst a the teim Ah divvint eat much when Ah'm thor.

Ah cannat remembah the last teim Ah torned reet when Ah got on a plane, pet, an tha's neece coz a remembah what gannin tuh America used tuh be leik when Ah wuz a nebuddy. Yerz'd be sittin thor six aw seven hooaz, cramped up leik a rabbit in a hutch, an yerz'd be getting pins an needils an tha an frettin aboot deep vein thrermbeausis. Then some big skinheed gadgie in the seat in front would recleen it back an yerz'd be cramped up evin maw than evah. Yerz meight sey 'Excuse me, pet, cud yerz put yerz seat back up coz leik Ah'm gerrin aall squished up heeah?' An maw often tha nut the moothful a abuse yerz got faw yerz trubbil wuz terribil. So noo Ah divvint have tuh purrup wi gets leik tha nee maw.

So leik undootedlee thor's some a the good stuff

aboot bein a supastor an Ah divvint wanna soond as if Ah'm complainin itz just tha someteims it can get so hord on uz thar Ah feind meiself thinking aboot mebbes retornin tuh a leif of obscuratee on a coonsil estate back on Tyneseed. Meind theu, Ah divvint think it faw tha long leik, as it'd be rubbish bein a neebuddy, havin naa munnee an bein on the derl, or even worse, woakin in Micky Dee's man!

Buh leik when yerz weigh it aall up Ah'd have tuh sey tha Ah'm luckee bein a big stor, itz just tha someteims it can be propah hord. So just remembah tha next teim yerz see uz havin a fabuliss teim on TV, aw arra big do, remembah aall the enjoyment yerz see's merst likelee a front. Beheend tha smeel Ah just meight be havin an awful teim.

Beheend the Scenes
Wi a supastor

Lotz a peepil's curious aboot wharritz leik ackshillee bein a celebritty. Peepil sees uz on TV deein me music aw judging an wondah wha's gannin on beheend tha eice cool façade. So Ah've hadda look through mei diary an heeaz some uv whar Ah gerrup tee when the camera's not rerlin.

Tuesday 3rd November
Not a lot to tell aboot t'dee. Treid to reet some serngs for mei new album but Ah cudden come up wi owt much. Mei muse wuzzen visitin uz.

Meind, itz keinda hard reetin serngs when Ah cannat ackshillee pley nee instruments. Mebbes Ah'll have some piano lessons. Aye that's a canny idea! Ah'll send mei manaja an email an ask her to sort it faw uz.

Monday 16th November
Ah'm feinding meiself wi a lot of time on mei hands despeet doing all mei fabuliss supastor stuff, so Ah've

deseeded to give summat back to socitee. Ah've written to wor Pree Ministah and offahd to dee a birruv that Goodwill Ambassada woak. Leik itz well impotant woak an tha an poat a wha yerz have tuh dee is gan oot to foreign places an that, an get yerz ferta taken shakin hands wi some peepil tha's a bit doon on thor luck. If because the meet uz thor leives'll get a lot better and they aall live happilee evah aftah. That'd be mint! Itz a gift and Ah'm just grateful that there's peepil leik uz in the woald that can make the difference.

Wednesday 18th November

Ah wuz looking at a cat oot in wor garden and it keinda struck uz. Cats are a bit leik dogs reely. Ah mean thiv got fowa legs and a tail and ears an whiskers an that, but Ah suppose one of the main differences is that they divvint bury berns in yor garden or mebbes bark at borglars to freeten thim off.

Mind, Ah aalweys wanted a cat when Ah was a littil gorl but Ah nevah got a one. That made uz dead sad. Theu Ah did get a gerldfish but that wuzzen the same. Yerz couldn't take a gerldfish oot faw a walk wioot looking stupid. An Ah supperze it meight've been tricky tuh gerra lead on it; coz leik thor aall slippery an that and they'd be slidin aall ovah the place.

Thursday 19th November

Somebuddy emailed uz an MP3 t'dee. It was a covah of Gazza's 'Fog on the Teen' by some group caaled Linda's Fawm aw summat. But they mordered it man! It was shockin! It sounded like a lerda dorty ferkies having a sing-serng roond a camp fire. There wuz no rappin in it or nothing!

Ah wish peepil would leave the classics alern. Aall they evah dee is make a mess of them. Ah cannat think of a covah evah havin been a success even once. Except mebbes faw that funnee looking gadgie that plays the veealin. Yerz kna him that looks like a doon an oot? Well he did that one of Vivaldi's tha teim, an reet enough honestlee it was a lot better than the original. But Ah supperze tha's the exception tha proves the rule.

Friday 20th November

Bein a Mentil to the acts on the *X Factory* stoating tuh dee mei heed in man. Thor's too many youngstaz in it faw mei liking. Last neet Ah was at herm having dinnah an mei merbile gans off. It was Seimon asking uz tuh gan to the hotel coz it had aall kicked off between a coupla the contestints. Seimon cudden gan back himself as he was inverlved in some big business deal.

So Ah gans ovah thor and it's pandemernium man! The room's been trashed and thor's 15 grand's woath a damage. The manaja's threatening to call the polis if something's not done aboot it. So Ah've had tuh flash the plastic and keep the hotel sweet. When it aall calms doon a bit lataz Ah asked thim what it wuz aall aboot and the telt uz that they wor fighting ovah whose gan it wuz on the Playstation. So to calm them doon Ah had tuh take thim oot tuh McDonald's and bei thim aall a Happy Meal each befaw they would agree tuh gan tuh bed. And even that neah stoated a fight when the worn't happee aboot the toyz thi'd each got! Then they stuffed themselves wi McFlurrys and threw up aall ovah the place. Ah hardly knew where to put meiself. Taak aboot embarrassed. It was just luck that there were no paps aboot tuh get pickchaz.

Tuesday 2nd March

Wharra funnee dee t'dee. Ah went an seen a one them hypnotists. Ah'd been feelin leik that Ah wanted tuh get tuh kna the reel me. Ah felt thor musta been something deep doon tha drives mei creativness. Well this gadgie, Professah Mysterieauzo, had a chat wi uz forst, an then asked if Ah'd be happy faw him to purruz undah to see if he could feind any deep-seated things in mei past.

And Ah knew it! Ah knew it! Ah knew thar Ah was special, me! Yerz'll nevah believe it, but give a guess who Ah used to be in a foamer leif? It's amazing what these professahs can ackshillee dee. Yerz'll nevah guess so Ah'll tell yerz; coz it torns oot tha Ah used tuh be Cleaupatra! Cleaupatra! Tertally amazing man! Buh mind, purrin two and two together Ah shudda guessed reely, faw Ah've aalweys disliked snakes, me. Specialee them cobras! And Ah aalweys have a funnee torn when mei guitarist haz a bottil of Cobra wi his curry!

Anyhoo Ah'm gannin back again next week to feind oot what it aall means. But if yerz ask me it's the best money Ah've evah spent man!

Thursday 4th March

Deeah diaree, wharra week this is! Forst Ah'm Ah feind oot tharra used to be Cleaupatra, an noo Chardonnay came roond tuh tell uz tha noo shiz a Doctah of Philosofee! She telt uz tha she wuz gannin through some emailz the utha week an she seen a one from some gadgie in America. It said tha if she sent two hundred dollaz they'd send hor a diplerma. Ah she wuz well made up coz she telt uz it cudda bin whatevah shi'd wanted. Doctah aw lawyer or anything. It was dead easy an she didden have to dee nee exams aw owt leik that. She just had tuh send aff the munnee. The certificate arreeved t'dee so she came roond wi it tuh sher uz. Shiz ganna purrit in a frame and hang it up ovah hor fiahplace. Man she wuz so exseeted thar Ah hadden the hoart tuh tell hor tha shiz bin ripped aff an the certificate's nut woath the papah itz printed on. Ah just saz 'Aw tha's lovalee, Chardonnay, pet. Congratulations.'

Saturday 6th March

Ah deseeded to have a few gorls roond faw a dinnah poaty. Sort of a 'Come Dine Wi Me' keinda veeb. So Ah reely went faw it big steel leik. Ah went tuh Waitreuse and dirra big shop early. Ah gorra lerda cress, lettuce an spring onions an tha. Then Ah went a bit mentil on the nibbles an got a bag a cashoos an a bag a pine nuts. Ah got it aall ready faw the gorls who stoated arreeving aboot seven. Ah put the cashoos in one a thim littil glass bowls and held the pine nuts back just in case anyone wuz reely hungree. But in the end we didden even eat aall the cashoos as most of wor wuz watchin wor figgaz. Well aall except Chardonnay that is. She terld uz tha she was deein a birra comfort eatin an she wolfed doon the last three and all the littil crumbs.

The stoatah Ah did was brill. Ah got it off of Delia when Ah met hor at a sherbiz poaty. Wha yerz dee is just gerra lettuce and put it in the middle of the table. Then evreebuddy helps themselves to as many leaves as they want. Delia telt uz aboot different things, dips an tha, to go wi it, but Ah didden botha wi any a that. Ah just did the lettuce. Mains were lovalee. Ah just

80

rersted a cabbage and did one a thim big oven chips faw each a wor to gan wi it. They all loved it an Ah had to give them aall the recipe. Buh leik Ah think tha sumbuddy awtah speak wi Delia aboot hor portion contreaul reet, coz we wor still famished aftah tha so Ah had tee purron some pasta, chips an fish fingaz tuh fill wor up a bit. Coase we wor stuffed aftah tha so a nevah bothad wi dessort. Ah jus moved onto coffee.

Then aftah aall the grub an tha we just sat thor an discussed aall the big things in wor lives. Lippy, shoes an hanbags an tha. Meind, Ah hord tha Chardonnay stopped an had a kebab on hor way home. Honestlee theu, Ah divvint kna where she puts it man!

Tuesday 9th March
Ah wuz just thinking t'dee tha the moon's a bit leik the sun izzen it? Meind the spacemen nevah went tuh the sun did they? Ah wondah wei that wuz. Merst likelee coz there's na cheese up thor. Meind the weatha'd be lovalee an yer'd gerra smashin tan an tha.

Wednesday 17th March
Ah'm reetin this from New York in mei hertel room an wharra dee Ah've had!

It aall stoated back in London at 3.00 am when mei limeau came tuh take uz tuh Heathrow. When

Ah came oota the hoose thor was paps everywhor an the flashleets made the limeau drivah hit wor gate perst. He spent aall the jornee to the airport moaning aboot hoo was ganna have tuh spend at least feive hundred poond tuh fix hiz motah. In the end Ah agreed tuh gerrit fixed faw him just tuh shurrim up.

Then thor was more paps aall ovah the terminal. Man it was terribil, the wor aall ovah uz leik a rash, snappin awey faw all the wor woath. Luckilee Ah'd gorra good birruv slap on uz an tha, so nee danjah a poppin up in the circle a shame wi any a the shotz they got. Fame someteims gets uz doon leik. If it wuzzen faw aall the munnee, clothes, big hooses and idyllic leefsteel, yerz could stuff it in mei opinion.

Then on the plane it was nee bettah. Thor was a lerda Irish gannin ovah tuh the St Patrick's Dee celebrations an it was fulla Louis Walsh's relatives. Man if Ah heah The Fields a Athanree evah again Ah'll gan mentil. In the end we feinalee got heah an it tuk another three hoaz tuh clear customs. It's 8.30 pm lercal time noo an Ah'm ganna have dinnah wi mei producer. We're layin doon some tracks ovah the next few dees an tha.

Hei, Ah think Ah'd bettah stop thor aw else this'll be tornin intuh *The Cheryl Kerl Diaries*. Wait a minit. Tha's a canny idea izzen it? Ah'll mebbes have a woad wi mei publisha aboot tha.

Paparazzi

Ah divvint think tha yerz'll be suppreezed to feend tha a have a view on this bunch a reet gets man woman pet. Coz these gadgies aw a constant poat a mei leef, an love thim aw lerth thim, thor's nee wey a gerrin awey frum thim. An just in case yerz didden gan tuh a half decent school whar Ah'm taakin aboot heeah aw fertografaaz, nut some new keinda pizza tha Domineaus is deein. Buh thor not the sorta fertografaaz tha takes yerz pickcha an then sells it tuh yerz soaz yerz can give it tuh yerz nana tuh put on top of hor telly. Nee wey, pet, these geezaz woaks faw themselves snoopin aboot an heedin beheend trees aroond the place an the attempt tuh get fertaz uv yerz wioot nee lippy aw make-up on, aw else mebbes feend yerz gannin aboot wi somebuddy tha yerz shudeen be gannin aboot wi. If yerz gan tuh fillum premiers an tha thor the ones standin on the utha seed a the rerd on step laddaz lookin leek a lerda interiah decorataz wi nuthin tuh paint aw wallpapah.

Thor nut very populah in the woald a celebritty

an thi've done a lerda damage tuh rock solid rela-
tionships a frens a mein like. The paps, as the get
called, sell someteims dead innocent pickchaz tuh
suspicious newspapah editaz an the next thing the
fertaz's on the front a the *Sun* an thor's a storee aboot
somebuddy's relationship gannin doon the pan. Neen
teims oota ten thor's nee truth in it but as soon as the
fertaz get published journalists gans poking thor nerzes
in yerz business an then next thing yerz relationship
comes undah pressha an befaw lerng peepil breaks up
an tha. So ask yerzself this, whar aw yerz ganna dee
then if yerz aw a one of the two tha's had thor good
name blackened? Yerz may as well gan aff wi the utha
poasin an be hung faw a sheep az a lamb.

An some a the things tha these paps getz up tee
tuh get thor fertaz is well oota ordah. Thi'll feend oot
whor yerz live an tha, an next thing thi'll be camped
ootseed yerz hoose wi thor lenses ready tuh snap
anything tha moves man. Itz shockin an yerz feel leik
yerz aw livin inseed a gerldfish berl wi nee privacee at
aall. An if yerz aw leik me an can heid awey beheend
gates an fences an tha and yerz think yerz're safe from
thim, well think again. Coz some a thim have theez
well big lenses, leik summat oota Jodril Bank aw
NASA, an the can still snap yerz evin from aboot half
a meel awey.

Occasionalee yerz meight wanna see thim, sey if yerz have something new tuh push oot intuh the moaket. Yerz kna, a new CD aw fitness DVD aw a book an tha. Then yerz publicist'll problee set up a staged paps session. But this teim yerz aw in choage an yerz can call the shotz, quite literalee. Ah jus think tha the paps aw a bit two-faced in this keinda situation, coz leek thi'll torn up tuh summat leik tha an behave themselves an nut gan snoopin aboot yerz hoose an groonds lookin faw dort, but the rest a the teim the divvint wanna pley bei the rules.

Leik tuh sum up, Ah'd have tuh see tha neenty-feive poacent a the teim thor a neetmor an yerz divvint wanna have owt tuh dee wi thim. The utha ten Ah supperse then the have thor uses leik mebbes when yerz need thor help tuh gerra birruv publicitee fair summat yerz aw trein tuh push. Bur az Ah sey thor a slippery bunch a trubbil makaz an itz bettah tuh have nuthin tuh dee wi thim if thor two-faced, pet.

Celebritty Stings

Noo Ah'm not taakin aboot mei pal an fellow Geordie, Sting, heeah, pet. Whar Ah'm gannin on aboot is these Sundee papaz tha sets up some celebrittys an makes thim look leik munnee-greedy graspin gets an tha. Ah'll tell yerz this, as a celebritty yerz cannat be ovah corful an the best thing tuh dee is divvint dee owt tha yerz nut a hundred poacent shua aboot.

In particulah thor's this gadgie tha's kna'n as the Fake Sheik an wha he duz is specialeez in celebritty entrapment bei settin up celebrittys tha's greedy faw munnee aw drugs an tha; videauin thim arrit an then perstin the videaus on the papaz webseet. Man yerz wudden beleev hoo gullabil some celebrittys aw an tha. Some uv thim aw so stupid tha the evin ask if thor bein set up bei the Fake Sheik when thor ackshillee bein set up bei him. Yerz ackshillee heeah thim askin it on the footage man. Leik thi'll sey things leik, 'Yerz awn't tha Fake Sheik fella from the *News a the Woald* aw yerz?' An this is whor the gadgie tha duz it is well clevah, because instead uv telling thim tha he is the sheik, he tells thim tharry izzen! Clevah aw what pet? Then the celebritty laffs a bit an seys summat leik 'Phew thank goodness faw tha, tha's aall reet then, let's crack on wi wor dodgy deal' an carries on wi whatevah bent deal thor inverlved wi. Meind Ah bet thor nut laffin when the see the tape on the neen a clock news next dee.

Az Ah sey, az a celebritty yerz cannat be too careful, an if anybuddy contacts yerz aw yerz manaja wi some keinda deal tha sounds tee good tuh be true then likelee it iz. Mei adveece iz tuh just be happy wi the millyins yerz have alreddy. Divvint run the risk uv messin up yerz career. Nee wey, pet!

Kiss and Tell

We live in a socitee these dees tha's hungree faw aall the infoamation tha the can get on wor big stors, an speakin az a one a thim meiself, Ah have tuh be well wary a faalin fool Ah this keinda thing. Meind itz not often gorls tha gets torned ovah, itz merstlee the blerks. Yerz kna whar Ah'm on aboot, itz when a rockstor, a footballah, a serpstor aw a politician gans oot wi sumbuddy faw a neet aw mebbes someteims faw as much as a week, an then when the break up the fame-hungree slappah gans an sells hor storee aboot the bedroom antics tuh the heeist biddah of the tabloids. Leik yerz see it aall the teim divvint yerz. Aall keindz a lurid headleens leik.

MP was a 'flop' between the sheets

Ah laid back an thort uv England - it wuz maw exceetin than wha wuz gannin on at the teim

Mei Twenty teims a neet romps wi kerk-snertin sex maniac celebritty chef

Noo thor's some think thar a lerda these guys shoulda seen it comin. Pickcha the scene; yerz aw an

MP an yerz aw aboot fifty, meind, yerz should reely be thinking a the aftahleef at tha age, but aall uv a sudden thor's some leggy eighteen-yeeah-erld blond bimbeau payin yerz a lerda attention.

Yerz look in the mirra. Hei, Ah'm nut tha bad faw a blerk mei age yerz tell yerzself. Mebbes Ah've still gorrit. Thor's a birra leef in the erld dog yet! Wei nut gan oot wi, whazzhorname, Shanice izzit? Ah mean aftah aall mei weef duzzen undastand uz nee maw does she?

So yerz pick up the fern an call Intaflora an send Shanice some flooaz. Then yerz aw on the fern again an yerz've booked a table at the latest celebritty chef's new place in Mayfawe. Next thing yerz've left yerz weef an bairns an yerz've shacked up wi the lovalee Shanice in a flat in Kneetsbridge. Tha lasts aboot a week befaw hor reel boyfren shers up wi some tabloid journalist an paparazzi an befaw yerz can sey 'Ah naa, hoo cud Ah a bin so stupid, man. Ah've been done up leik a reet kippah' she gans back wi the boyfren. Then on the following Sundee yerz mermint a madness is aall ovah the papaz; aall yerz deepest secrets aw the boudwor aw thor faw aall the public tuh read befaw thor Sundee roasts, aw mebbes dinnaz meight be a bettah woad tuh use if yerz aw a footballah.

Wei cannat yerz see it comin fellaz? Aw yerz

completlee stupid izzit? Wha beautiful gorl, haff yerz age an hooz in hor reet meind, iz ganna gan oot wi an erld, fat, baaldee, self-centahed millyinaw leik yerz? Thor ernly aftah one thing an it izzen yee ladz. Itz sad tuh see so many careers gan doon the pan coz uv it. Burritz a storee as erld as teim itself. The pages a histree is littahed wi dorty erld gets an munnee hungree slappaz feedin off of each utha, an no mattah hoo many teims thorz a heigh prerfeel case yerz can be shor tha thor's anutha one just aroond the cornah. Mebbes itz just God's wey a havin a birra crack when thor's nuthin on the telly an tha pet.

Noo, if thor's any celebritty gadgies tha faal intuh any a the above categories reading this, an leek wei wudden thor be, Ah'll give yerz a few tips ladz. Yerz weef's been with yerz through thick an thin an shiz the mutha a yor bairns so dee the math. Wei chuck awey aall tha in a mid-leef crisis? If some young bord appeaz an storts payin yerz a lerda attention look oot! Pawticulah warnin seens aw if she seys shiz a strugglin one a the followin: a singah in an up an comin gorl band, a modil or an actress. As a sleet seed issue, buh a related one nevahtheless, this poasin meight be a male modil if yerz kna whar Ah mean. Well if yerz gan doon tha route it could be dubbil bubbil, kna war Ah'm gerrin at ladz?

The grass izzen aalweys greenah an yerz aw bettah off stopping whor yerz aw. Mebbes just splash oot a few poond an gerra birruv woak done on the missus. Itz bettah faw evreebuddy inverlved. It willint be cheap but itz amazing wha the can dee nooadees wi a birruv beautox an silicon.

Trophee Weeves

Just as a footnert tuh kiss an tell Ah think Ah need tuh sey a bit aboot trophee weeves coz the two subjects aw keinda related. Trophee weeves aw when an eighteen-yeah-erld, leggee blond bimbeau ackshillee marries a fat baaldee self-centahed millyinaw an the somehoo stey tugetha an make it woak. Not so much a love match as a bizniss arrangemint. The deal is tha the blerk getz a lovalee gorl tuh take oot tuh bizniss dees, shers an restaurants an tha, an the gorl getz aall the DKNY an Jimmy Chooz she can handle. Thorz a couple a hee prerfeel ones a these kickin aboot, buh leek Ah divvint wanna sey anything that'll rock the bert so Ah'll give thim the benefit a the doot an jus sey – it must be love. Hei, Ah herp tha livin mei fabulisslee amazin leef an mixin wi aall these sherbiz teeps izzen makin uz cynickil, pet.

Happee Yem

*The sey yem is whor the hort is, but leik tha's daft. Coz
the hort's ernly thor when yerz aw thor yerzself izzen it?*

Feng Shui

Ah cannat reccahmend Feng Shui heighly enough leik. An Ah'll tell yerz this, itz changed mei leif! Coz noo Ah have mei ern Feng Shui consultant an Ah nevah gan anywhor aw do owt wioot him checkin it oot foast.

Meind, when Ah originalee hord aboot it Ah thort it was some keinda foreign food. But naa, yerz Feng Shui's deed impotant. It's aall aboot havin the stuff in yerz hoose aw your office aall leend up the reet way; soaz it creates positive veebs an good energee for yerz.

Faw exampil, say leik yor dinnah table's pointing sooth-east bur it ackshillee needs tuh be pointing noath-west. Well tha can reely affect the wey things gan in soa many aspects of yor leef man! In fact he terld uz tha it wuz this very thing tha wuz causin a tickalee cough thar Ah had last yeeah. The cough meant thar Ah cudden get some tracks laid doon in the studieau. Tha meant tha mei recoad company wuzn't happy coz the cudden let mei fans bei new

CDs. Imagine tha leik, pet, aall tha trubbil an just because mei dinnah table was the wrong wey roond!

So anywey Ah paid him ten thoosan poonds and hiz team came intuh mei hoose faw a week to survey mei Yin an Yang balance. It took thim the full week, man. The just paced around the place pullin funnee shapes an checkin oot the posishin a the sun an the moon an aall tha an in the end, on the last dee leik, aall the did wuz just leen up mei table the reet way. Honest, that's aall! Amazin izzen it? Seems tha the way thar Ah had it set up was creatin aall thim negative veebs at tha point in mei leif.

An faw any skepticks tha thinks Feng Shui's a lerda rubbish wharraboot this then, as soon as it wuz leened up the reet wey Ah nerticed tha mei cough had ganned an Ah wuz able tuh gan back intuh the studieau and dee mei serngs.

Ah did think tha mebbes the medicine tha mei GP'd given uz meighta helped as well. But mei Feng Shui man said it wuz definitlee the Feng Shui tha dirrit; meind he wuz lookin a bit funnee when he telt uz an he went a bit red an tha faw a few minits.

Dogs

One thing leik tha's reely impotant when in the public eye is tha yerz have gorra gerra dog tha yerz can tek oot tuh big sherbiz poaties an tha. Bur Ah divvint mean a great big dog leik a Rottweilah aw an Alsatian aw owt leik tha. Ah mean a littil lap dog wha can gan in yerz hanbag. Wi've aall got thim. Britney, Christina an Ah've evin gorra couple meiself. The have tuh be the merst pampahd pooches in the woald leik. The get everything done faw thim man. The divvint even need tuh walk faw themselves. Aall yerz hav tuh dee is if yerz aw gannin oot faw the neet is jus put them in yerz hanbag an tha's it.

But nut ernly izzit good faw the dog coz thor nut left alern in yerz hoose bawkin an tha, burriz good faw yerz az well. Coz noo yerz divvint need tuh keep yerz eez peeled on yerz hanbag nee maw, just in case some ler-leef pinches it an tha. Sey yerz're in a club, pet, an a bangin choon tha yerz love comes on. Yerz divvint need tuh bring yerz hanbag ontuh the dance-flooah noo an dance roond it leek yerz mebbes used tuh. Just leave it at the table an gan an bust a few moves on the flooah an thor's naa need tuh worry. The trick is tuh foast train yerz dog tuh gan faw anybuddy wha gans neah the bag. So then if some sneaky get treis tuh heist it when yerz're dancin the'll end up loosin a coupla fingaz an it'll sorve them reet an aall.

Goadining

Ah've aalweys loved a neece goadin, evah since Ah wuz a bairn Ah've bin attracted tuh the wondaz a Mutha Natcha an tha. One a the main things noo when Ah bei a hoose is what the goadin's leik, an if Ah divvint leik it then Ah'll not bei it. If Ah evah gerra Freedee neet aff then yerz'll likelee feind uz in front a mei TV watchin aall the shers wi Alan Titmush an tha lot in. Those shers is well mint so the aw, an the givvuz so many ideas aboot what tuh dee in mei ern goadins roond the woald an tha.

The sey tha goadinin's an ovahrated passteim bur Ah'll heeah nun a tha man. The sense uv acheevmint yerz get when yerz've torned a rough piece a uncultivated land intuh a beautiful goadin cannat be beat, man pet. Leik the last teim Ah bought a hoose Ah had this plan in mei heid tuh create a Victorian walled goadin an tha's whar Ah did. An aall frum scratch an tha an aall. Ah hiahed a deseenah tuh deseen it, then Ah gorruz a landscapah an a team a six laboraz in, an between uz we had it aall done an dusted within a week. The transfoamation wuz amazing an well woath aall the effort. Meind Ah didden ackshillee dee all a the woak meiself, Ah keinda just appointed meiself as executive head goadinah an ovahsaw evreething.

Ah leek tuh grer mei ern vegetibils as well. Potatoes, tomatoes, cauliflooaz an aall that sort a stuff. Ah think itz tuh dee wi mei roots back in the Noath East wor the love tuh grer leeks an aall tha stuff. So whar Ah've done is bought uz a fawm an Ah grer lerds an lerds a tha keinda stuff. Itz aall orgasmic veggies an tha; nee chemicals aw tha keinda rubbish gans on any uv the produce aw owt. The fawm's aboot three hundred ackaz so obviously Ah cannat use all the stuff meiself, in fact Ah merstlee use aboot twenty lettuces each yeeah so Ah've serrup a littil keinda moaket goadin business, jus so nun a mei stuff gans tuh waste.

If Ah'm yem in England then problee one a mei favrit weeks a the yeeah is the week tha the Chelsea Flooah Sher's on. Itz tertally amazing, aall the stuff the dee on thor, an tha Irish lad Doamut Gavin in pawticulah aalweys deez summat well mentil. Itz a bit leik some a the mad stuff yerz see on the catwalk at London aw Paris fashin weeks. Tertally bonkaz an reely mad.

Agas

When Ah think back tuh when Ah wuz a littil gorl in Newcastle an mei mam cookin uz aall wor dinnaz on an erld lecky sterve, Ah could crei man. These dees Ah cannat imagine havin owt else in mei kitchin bur an Aga. Thor lovalee.

When Ah have frens roond faw dinnah itz the foast thing the mention. Agas give yor kitchen a lovalee keinda country feel. Mebbes leik a fawmhoose aw summat, aw summat oota the erld fillums. Mint!

An Ah'll tell yerz this, leik since Ah gorrit fitted it's been well handee too. Lerdza magazines's used it faw takin fertaz of uz an it comes oot reely well. If Ah kna tha thor's a big shoot comin up then Ah get mei cleanin ladee, Katcha, to get shinin the Aga up aall neece an spawklin.

Ah can imagine some ferk buy an Aga an divvint kna how tuh use it leik.

Dinnah Poaties

Divvint say tha yerz haven lornt owt frum this book coz in this next section Ah'm ganna let yerz intuh the secrets of hoo tuh herld a flawless dinnah poaty.

Ah love havin guests roond faw dinnah, me. It makes such a change from gannin oot tuh a restaurant, coz leik wi mei glameriss leefsteel tha's wharra dee maw often than not. Buh when yerz have deseeded tuh herld a poaty the key heah is tha if yerz divvint dee aall yor prep an planning reet, yerz could end up wi a disastah on yerz hands.

Ah leek tuh make a reet big deal oota mei poaties. Ah nomalee plan hoo's ganna be inveeted faw weeks in advance, an trei an make the guests an eclectic mix a aall soatz a peepil. Yerz kna, footballaz, WAGs, mei Gorls are Lood band mates an a coupla mei ordinree frens. Meind we generalee ignoah thim; burritz neece tuh hav thim thor soaz Ah can sher mei famiss guests thar Ah haven fawgotten mei roots an tha.

Then thor's the menu to considah. Tha can be a

reel neetmor if yerz divvint gerrit reet. Thor's so many celeb chefs tuh considah too. Yerz spend weeks aganizin ovah hoo tuh gan wi – will it be Jamie, aw Godun, Heston aw Delia? It's a reet hoad choice bur Ah beleev in splashin the cash wor tha's concerned, pet, coz when yerz gerrit reet thor's nuthin bettah.

So whar Ah dee is get mei peepil tuh make a few fern caals an see hooz not gorra sher on TV an then gan wi thim. Leik last teim it wuz Heston so we hiahed him an hiz team faw the neet, meind he cost uz a few poond theu but. In fact he cost uz a fawchoon man come tuh think uv it. It wuzzen aall the grub tha done the damage, it wuz tha poatible nucleah reactah an aall the plertonium he used tuh dee his unique 'take' on classic rerst beef an Yoakshaz. Still it wuz woath it, an the beauty wuz tha we didden hav tuh purrup wi aall the effin an bleendin than we'd had the teim befaw when it wuz Godun tha cooked faw wor. Man his language wuz shockin. Torned the aw blue he did.

Bur if yerz budget willint run tuh hiarin a top celebritty chef, then the alternative is of coase tuh dee it yerzself. So if tha's the plan whar Ah usualee dee is fern the lerkil tandoori an get Ranjit tuh bring a van lerda curry roond. Tha aalweys gans doon well. Meind if Ah'm on a deeit so Ah divvint eat owt, Ah jus sniff the empty containaz. Tha's plenty faw me man woman pet an it keeps uz gannin faw dees aftah.

Ah leek tuh hav some entatainmint at mei poaties an often book a littil group jus faw backgroon music when wor aall eatin wor dinnaz. Last teim it wuz the Sissah Sistaz. The wor reely mint man an aall the guests enjoyed the evening. Meind thor leetin rig played havoc wi the lecky, an Heston flounced oot once aw tweece coz his reactah kept gannin on the blink.

Ah leek tuh hav some interesting convasation roon the dinnah table too. Tha's wei Ah aalweys select mei guests very carefulee. Thor's nothing worse than an embarrassin lull in the convasation is thor? Ah coupla teims Ah've inveeted some clevah peepil, professaz an exports off the telly leik Bill Oddie an Patrick Mooah, the spaceman. Bur tha group didden woak oot aall tha well. Bill wanted tuh blatha on aboot bords aall neet an Patrick, bless him, had brought hiz zylafern wi him, an aall he wanted tuh dee wuz pley tha aall neet. In the end it gorra bit heated between him an Bill an we hadda get wor securitee goadz tuh soat it oot.

Ah aalweys leek tuh dee a goodie bag tuh give the guests when thor gannin yem an tha's when woakin faw L'Oreals comes in handee. Ah aalweys have lerdza thor stuff kickin aboot so tha saves uz havin tuh worry

107

aboot wha tuh get. Theu thor wuz this one teim when David Beckham gorra lerda hor lackah in hiz goody bag an he hadda skinheed at the teim. So it wuzzen tha appropriate, buh David's a propah gentilman an aall he said wuz 'You kna, thanks Cheryl love, pet. Yerz kna tha's well thortful, yerz kna' as he left. Meind Ah seen him hoyin the bag ovah the hedge as he wuz gerrin intuh the car. He thort thar Ah cudden see bur Ah wuz lookin at the CCTV at the teim. Ah think Posh wuzzen too pleased if the body language was owt tuh gan bei.

So tuh sum up the rules faw a great dinnah poaty. Make shua yerz hiah the reet peepil. Tha reely is the numbah one rule. Get tha reet an yerz cannat gan wrong, pet. It will take aall the strain off yerz, an tha wey the guests'll have a fabuliss neet an yerz'll have nee hassils. Easy peasy!

Feen Weens

One a the perks a bein in mei position iz thar Ah get a chance tuh indulge one a mei new hobbies tuh the max. Ah've become a ween buff! Wharram Ah leik? An thor's nothing thar Ah leik bettah than havin a lovalee glass a ween uv an evening, aftah mebbes a dee in the studieau aw a big gig aw summat.

Noo of coase back when Ah wuz norraz sophisticated as Ah am nooadees Ah nevah touched the stuff. Ah didden undastand ween reely. At the top end it wuz faw snerbs an tha, an at the utha end it wuz faw alkies an doon an oots man.

Grerin up Ah leiked mebbes a vodka an lemonade aw a Bacaadi Breezah, summat leik tha, an mebbes arra familee dee mei Da'd ordah a bottil a Lambrini. Bur a coupla yeaz ago Ah went on a premertion trip tuh France an foond meiself wi an aftahnoon off an nothing tuh dee. Mei manaja hord aboot a ween growah, Jean Patrice, he wuz caaled, buh leik wei he hadda gorl's name a divvint nee. Anyhoo we arranged a trip tuh hiz weenery, an so began a love affor tha's still gannin tuh this dee.

His chateau, tha's wha the call a big hoose in France, wuz in the Bordeaux regin, tha's a red regin bei the wey, an he had some weens faw uz tuh trei oot. Well aftah the fifth glass Ah was hooked, an when Ah came oota the coma latah on tha neet, Ah knew tha from then on, if Ah evah could bring meiself tuh touch a drink again, then it would have tuh be Bordeaux. Ah've lornt so much aboot the awt uv ween appreciation an particulally wha the cheap stuff does tuh yerz delicate palate an tha.

When Ah'm oot on the rerd on tooah, Ah aalweys specifee a decent bottil a ween on mei rider. An as Ah sey Ah'm very particulah aboot qualitee as yerz'd expect noo Ah'm an export an Ah willint accept anything less than a neece Chapeau Naff de Perp.

Oh aye, Ah neely fawgot tuh mention. Befaw wiz roond up this look at feen ween, Ah should sey tha thor's not ernly red weens. Nee way pet! Thor's lerdza uthaz coulaz. Leik thor's wheet, rosey an some sickly yelleauy lookin ones tha yerz can hav wi yerz puddins an tha.

Anywey as Ah reet this Ah see tharritz six a clock, so teim faw uz tuh switch off mei laptop an gan an treat meiself tuh a glass. Itz been a lerng dee. Cheeaz!

Loved Ones

Thors maw tuh uz than just a bein a pop princess an a steil icon yerz kna. Ah'm a reel poasin too an aall. Cut uz an dee Ah nut bleed?

Dating

Yerz kna gorls noo thar Ah'm back in the moaket faw a new gadgie an Ah've bin thinking aboot hoo Ah meight gerruz one. Coz leik nooadees thor's so many diffrint new weys izzen thor?

Erld School Choam

Yerz can gan doon the erld school route mebbes, leik the used tuh dee back in erlden teims in the fifties an tha. Hoo this woaks is tha yerz see sumbuddy tha yerz keinda leik the look uv when yerz oot an aboot. Wha yerz dee is waak doon the street in front a thim an then at the reet mermint yerz drop a hankee on the groond as yerz're wakin alerng. If thor a gentilman thi'll likelee pick it up faw yerz an yerz stoat havin a birruv a chat an tha next thing yerz serrup a date an see whor it gans frum thor. Buh leik the ernly problem wi tha's peepil divvint reely have hankees nooadees dee the? Itz merstlee tissues, pet, an neebuddy's gannin pick up a tissue yerz hoy on the groond. Not unless thor one a thim bizee bodies an the stoat telling yerz

113

aff faw litterin the place up. Ah think it'd be bettah tuh gan doon one a the maw modun routes.

Bleen Date

The top wey a deein this would be mebbes tuh gan on a sher tha wor Cilla used tuh dee back in the dee. *Bleen Date* it wuz caaled. Basicalee yerz hadda gorl aw a blerk lookin faw a new gorlfren aw boyfren an the had tuh intaview three candadates tha the cudden see coz the candadates wor heedin beheend a big keinda wall thing. Wha the had tuh dee wuz ask thim three questions tha sounded leik the wor oota the script of a *Carry On* fillum, an dependin on the wey the candadates ansahed the questions then the gadgie aw gorl picked one a the three an he went oot on a date. Simpil as tha. Meind it used tuh get well complicated some-teims coz if the couple's ackshillee hirrit aff then Cilla'd torn up at thor weddin an make a sher uv thim berth bei wearin some terribil hat an the weddin wud be aall ovah the papaz faw aall the rerng reasons. Ah wudden suggest tha yerz aall trei this coz thor'd likelee be very few chances tuh have a gan arrit, an anyway *Bleen Date*'s nor on nee maw, buh leik yerz nevah kna, some a yerz meight ger a chance if it evah comes back tuh wor screens.

Onleen Datin Webseets

These aw well populah nooadees an the get used bei lerdsa peepil aall ovah the woald. Basicalee yerz erpen an accoont on the seet an purrup a poasinil prerfeel. Itz aall aboot yerzself an tha, yerz kna, wha yerz hobbies aw, wha keinda grub yerz leik an stuff aboot yerz woak an tha. Then tuh finish it aall aff yerz'll mebbes perst a pickcha of yerzself on thor an aall. Meind tha's whor yerz have tuh be cawfil coz yerz can get caught oot wi pickchaz. Yerz meight be taakin tuh sumbuddy caaled Steve an accordin tuh hiz prerfeel hiz twenty-seven, six foot tall an haz hiz ern bizniss in the City. He looks leik a birruv a babe when yerz see his ferta on the webseet, so aftah bein cawfil an tha, mebbes bei gerrin a fren tuh be watchin oot frum across the street when yerz agree tuh meet him, yerz gan oot faw a birruv an initial chat an a glass a ween. Buh leik when yerz ackshillee meet him in reel leif an tha, heez aged aboot twenty yeeaz since the ferta, heez aboot feive foot feive, ganned baaldee an his Rerls Royce he telt yerz aboot has somehoo torned intuh a Foad Mondeau. In shawt, in fact just leik he is, heez bin fibbin tuh yerz on the datin seet an wastin yerz teim, pet. Noo Ah divvint wanna diss aall datin seets an soatinlee this izzen wha aalweys happenz buh leik Ah'm just telling yerz soaz yerz can watch oot faw peepil like Steve. Buh sey the poasin yerz have bin taakin tuh is aall reet an aftah a drink yerz deseed tuh gan on a full blern date then heeaz some top tips tuh keep in meind on yerz propah foast date.

Foast Date Top Tips

Safety

Meet somewhor safe an tell peepil whor yerz aw gannin an aall aboot who yerz're meetin. Divvint let the thort a love an rermance land yerz wi a mentilist tha's mebbes gorran Eedypuss complex an tha meight kidnap yerz aw summat leik tha. Nee wey, pet. Itz bettah tuh be safe than soree.

Venue

Well this one's easy peazy. Gan oot faw a meal an yerz cannat gan rerng in mei opinion. Not ernly aw yerz safe an tha buh havin a meal'll likelee tell yerz aall yerz want tuh kna aboot yerz date. Leik if heez the sorta blerk tha slorps up hiz soup loodlee an tha annoyz yerz then yerz'll mebbes think tweece aboot makin it a longterm thing. Annoyin habits aftah a few hooaz divvint bode well an just imagine wharrit'd be leik aftah a few yeeaz. If he wolfs doon his grub leik a pig in a trough then tha's problee a pointah tha heez likelee unsuitibil faw yerz an aall. Nor unless yerz wolf doon yerz ern grub in a similah wey. Mebbes he's a poafect gent throughoot the meal but when the bill comes he wantz yerz tuh gan ovah it wi a magnifeein glass an insists tha each a yerz peys faw exactlee wha yerz had, then if tha's the case Ah'd gerroota thor dubbil quick gorls.

Yerz Ootfit

Take a birruv teim on this one. Itz impotant tha yerz gerrit just reet. Mei adveece is tuh gan faw summat not tee ovah the top buh nut tee frumpy. Divvint torn up lookin leik a slappah aw owt, buh equalee divvint arreeve done up leik a nun eitha. Itz a bit leik runnin yerz ern sweetee shop. Yerz've gorra pur enough of yerz sweetees on sher buh yerz divvint wanna encourage peepil tuh gan pinchin yerz stuff an takin libbuhtees. Mebbes a neece dress oota Top Shop an a pair a six-inch stilettos'd problee be feen.

Gannin Back Faw Coffee

This is a birruv a trickee one izzen it gorls, coz leik quite often gannin back faw coffee can be a euphem-ism faw so much else. Yerz meight gan back tuh hiz flat an next thing he asks if yerz wanna see his Penny Black. An naa, tha's norra euphemism yerz dorty gets yerz! It meight torn oot heez mebbes a stamp collectah an he wantz tuh sher yerz his reel Penny Black. So in the end, despeet him havin kept it hidden aall neet, he feinalee drops the act an evin theu heez bin feen in the restaurant an tha an paid aall the bill, heez torned intuh a weirdeau tha collects stamps! So it just gans tuh sher tha evin when yerz think yerz're safe just be dubbil cawfil leik. Yerz kna whar Ah mean? As soon az anything leik tha torns up at hiz flat then get yerzself in the back uv a taxi an oota thor as quicklee as possibil.

Wha tuh Look Faw in a Man

So yer've gan through the selection process. Yerz've had yerz foast date an yerz think tha mebbes yerz meight wanna give this gadgie a gan wi a longterm relationship, then what qualitees shud yerz new gadgie have?

Intellect

Well foast uv aall heez gorra have a birruv a brain. Itz nee good gannin oot wi sumbuddy tha looks leik Brad Pitt when heez on yerz arm, buh hoo torns intuh Vinnie Jerns when he erpens his mooth. Just think if yerz brought im back tuh meet yerz mam an dad wha tha'd be leik.

Prospects

Next heez gorra have a decent jerb an tha an be capabil a keeping yerz in some keinda haff decent leefsteel. Noo evin theu in mei case tha duzzen reely mattah, coz uv coase Ah've got enough wonga tuh keep me an a thoosan gadgies, Ah'd still wanna feel tha he'd be abil tuh keep uz comfoatibil if need be.

Tempramint

On the one hand he shud be lovalee an sweet an tha, buh on the utha he needs tuh be hoad enough tuh stand faw nee nonsense eitha as faw as hiz tempramint gans. Noo whar Ah mean bei tha is tha he shud leik things leik littil cats an puppy dogs an some utha soppy gorly stuff. Buh then sey if yerz aw gannin doon the street wi him an some dorty get storts lookin at yerz legs an mebbes whistling aftah yerz an tha, then yerz blerk shud be tough enough tuh be abil tuh gan an gi thim a reet good batterin if the divvint apologise aw stop deein it.

Loyaltee

Ah'd have tuh insist on a hundred poacent loyaltee frum yerz blerk at aall teims. Yerz shud be the appil a hiz eye an he shudden be perkin hiz nerse aw sniffin aboot anywhor else utha than roond yerz. Mei adveece is tuh keep him on a teight rein gorls. Check his merbile an tha when yerz gerra chance an if he duz gan aff the railz then divvint purrup wi it. Kick him intuh touch immediatelee. Thor's plenty maw fish in the sea aftah aall.

Makin New Frens an Livin Doon Sooth in London

Yerz kna, leik when Ah gan back yem someteims ferks asks uz wharrit's leik livin doon sooth in tha London.

'Divvint yerz miss Newcastle Cheryl, pet man woman man popstor?' the sey.

'Wei, of coase a dee, pet,' Ah aalweys say; an leik given a chance Ah'd be back on the Tyne in a shot. Nee botha. Thor's a lorra differences between the noath an the sooth tha take a birra gerrin used tee. Leik up noath if yor gannin tuh toon and yerz are gerrin a bus, well leik when yerz get in the queue yerz'll mebbes sey, 'Hi pet, tha's a lovalee dey.'

Tuh somebuddy tha's waitin thor, and they'll mebbes ansah yerz wi: 'Aye, pet, itz champyin.'

Aftah tha yerz'll merst likelee chat until the bus arreeves an when yerz gerron yerz meight even sit together an carry on chattin an tha until yerz reach the toon centah. If yerz trei the same thing doon sooth, not tharra get the bus these dees, but when Ah did aftah Ah foast came tuh London leik, pet, befaw Ah became a glerbil supastor, yerz'd see somebuddy waitin at the stop and yerz'd sey, 'Hi pet, tha's a canny dee izzen it?'

And they'd sey nuthin back. So yerz'd repeat wha yerz'd said buh mebbes yerz'd not sey canny this teim.

'Hi pet, tha's a lovalee dee izzen it?'

An leik they'd still sey nuthin back. Naa, pet, wha they'd ackshillee dee in the Sooth is get thor merbile oot, fern the polis and report yerz faw harassment. But leik once yerz've explained tuh the offisaz tha comes oot in the squad caw a couple a teims tha yerz wor ernly bein frenlee, yerz reeleez tharritz problee bettah nut tuh speak at the bus stop at aall.

Anutha difference doon sooth in London is tharrit can take a birra teim tuh make frens wi ferks. Back yem Ah've got lerdza mates, me. Leik in Newcastle if yerz meet somebuddy arra poaty and yerz gerron an tha, yerz'll problee gan oot faw a drink wi thim lataz tha week an become foam frens from then on.

Ah've nerticed tharriz a bit diffrint doon sooth in London. But when yerz ackshillee make a fren, altheu it mebbes takes longah, say aboot two yeeaz leik aftah the lawyaz has drafted yerz frenship agreement, yerz suthen fren steys yerz fren faw leif. An leik itz well funnee this, but when Ah foast came tuh London it took uz ages tuh make frens wi anybuddy. But leik noo everybuddy Ah meet wantz tuh be mei fren. Ah supperse tha's coz noo Ah undastand the London leefsteel an wha makes thim tick doon heah.

So evin theu Ah miss Newcastle an tha, Ah think itz bettah faw uz tuh be doon in London. Coz when yerz boil it aall doon London's a great place faw a supastor leefsteel wi flashee poaties, fillum premiers and fabuliss restaurants an clubs.

Muthahood

Chardonnay wuz seyin tuh uz the utha week 'Cheryl, pet, Ah've bin thinking aboot gerrin uz a bairn leik the wey the supastors dee.' Honestlee, shiz bonkaz coz she thort tha supastors ackshillee bei them bairns, so Ah had tee pur hor straight aboot hoo the gan ovah an adopt the littil youngstaz. So anywey she gans on an seys tha shiz ganna contact some peepil oot in Malawi an see aboot gerrin a coupla thim faw horself an hor fella, Darrin. 'Coz leik, thinking aboot it, Cheryl pet, it'd be a lot easier tuh dee two at once. A nanny meight feind teim hanging a bit heavy on hor hands with just one. So reely two's a much better idea all roond. An the utha thing is tha if Ah ackshillee dee gan faw a set, then Ah wudden have tuh gan through aall the trubbil a havin a tummy-tucks an tha – so itz win-win aall the wey. Mint man!' Meind, Ah just looked at hor, man, an laffed. Norra clue pet! An leik tuh be honest Ah divvint think shid still gorrit evin aftah the thord teim Ah'd explained it. Buh leik, tha's Chardonnay faw yerz, a lovalee gorl bur a thick as two shawt planks man! Meind she mebbes had a point when it comes tuh the tummy-tucks an tha.

Norsery Education

Ah was taakin tuh Chardonnay the utha neet aboot the impotance a gerrin yerz bairns intuh a good norsery coz evin theu Ah divvint have bairns noo it willint be aalweys leik tha. So next thing shiz gan aff on one a hor theories leik. 'Cheryl, pet, foast thing tuh dee is make shua yerz send yerz nippaz tuh the merst expensive norsery yerz can affoad. Coonsil-run ones iz aall reet an tha but leik yerz bairn'll be well beheend uthaz thar've been tuh bettah ones caaled "Wee Wondaz" aw "Littil Angels" an stuff leik tha.

'Preevit norsereez givz the kidz a sense a self woath, Chez, an bei the teim the gan tuh primary school kidz frum a good norsery's ganna have well-foamed ideas on thor career paths an aall tha keinda stuff.'

But she thinks the merst impotant thing aboot norsery school is what pawt yerz bairn getz to pley in the 'Nativity Celebration'. Because if the divvint land a storrin rerl, eitha as Jerserf aw Maree, then yerz meight as well give up on them becomin the next Leaunadeau Di Caprieau aw Jessie Wallace. Leik thor foast rerl in the norsery nativity's a defeenin mermint in thor littil leives. Coz just think, when yerz see them 'befaw the wor famiss' shers on TV, yerz aalwey see sumbuddy leik Posh, aged fowa wi a pair a cawdbawd wings an a tinsil halo storrin in hor nativity. An if it izzen hor itz James Nesbitt wi a tea tooell wrapped roon his heid. Itz aalweys them bairns tha getz the big rerls tha gans on yuh biggah an bettah things. Take it from uz, pet, if the end up pleyin a sheep aw a coo then, not bein teight, according to Chardonnay 'yerz meight leik tuh considah purrin thim up faw adoption'.

Man shiz leik a brerken recoad bei noo an thor's nee stopping hor. 'Leik Cheryl coase thor's weys to enshooa tha your bairn getz top billin an leik merst things in leif tha peopil want, it costs munnee. Buh leik tha willint botha yerz noo pet will it? Whar Ah'm seyin heah is tha yerz aw ganna have tuh splash the cash tuh get the main preeze. Of coase itz not necessary tuh be vulga an trei owt as sodid as a breeb. Nee way, tha's too common. Wha yerz need tee dee is be maw subtle.

'Faw exampil, when yerz aw pickin yerz bairn up aftah the session have a look roond an see if thor's owt needs deein aboot the place. Stuff leik decoratin aw mebbes the toyz is lookin a bit knackahd an tha. Coz altheu itz expensive tuh get your youngstah intuh one a these heigh-class norseries, the divvint seem tuh spend the fees on the fixtchaz an fittins a the place. Honestlee Ah divvint kna whor aall tha munnee gans. Likelee itz tuh enshooa tha the teachaz an tha are the best possibil.

'Anyhoo say the toyz is lookin knackahd. Well then wha yerz dee iz have a woad with the headmistress an offah tuh make a dernation of new toyz. Labour the point tha yerz are deein this as a philanthrerpic gestcha an tha in nee way dee yerz expect yerz youngsta tuh get any special treatment as a result of yerz kind dernation. An Ah'll tell yerz this, if yerz divvint see your bairn in one a the storring rerls at Christmas then the Perp duzzen have a balconee man pet.

'Anutha impotant thing tuh considah is how yerz torn up tuh collect yerz bairn at yemteim. Noo assuming tha we're taakin aboot a posh norsery then yerz aw gonna have tuh contend wi aall the utha yummy mams kickin aroon in the pleygroon. A coase it willint be evree dee mind, coz it'll merstlee be the nanny pickin thim up. But jus sey the nanny's gorra dee aff, aw mebbes yerz wanna have tha chat wi the headmistress, then yerz cannat torn up leik a muntah in a pair a trackie bottoms an a t-short aw owt can yerz? Nee way pet. Stick on yerz best bling, yerz heighest heels an some deseenah numbah an gan intuh the pleygroon lookin a millyin dollaz. This izzen just impotant faw yerzself. Yor deein it faw yerz youngsta as well. Coz if the see yerz lookin the best oota aall the mams, itz gonna build thor self esteem.'

Leik honestlee Ah wuz woan oot aftah aall tha an tuh tell the truth Ah think livin doon sooth's makin Chardonnay a littil bit cynickil man! Ah'm not so shua shiz reet aboot aall a tha leik.

Cultcha an Entatainmint

*An peepil think tha popstors divvint nee nuthin aboot
stuff. Well just think on coz some uv uz is well brainee
an tha.*

Feen Awt

Since Ah've become famis Ah've stoated tuh collect paintings an tha an aall man. Coz evah since mei mam had a print a Constibil's 'Haywiah' ovah wor mantilpiece Ah've bin drawn to feen awt, me.

A leek to marvil at the qualitee a the great mastaz leik Tornah an Botticelli an tha. Things leik thor use a coula-tern an leet an shade, pet. Qualitee a the brushwoak an application a the paint an hoo it speaks aboot the awtist's state a meind an tha keinda stuff. But Ah'd have tuh sey tha mei favrit haz tuh be Salvadoah Dali. Coz leik Salvadoah torned peepil's percepshin a logickil expresshun on itz heid. Meind, Ah think he was a bit mentil theu but. Still his woak's tertally amazing man.

Leik wharraboot tha one a hiz wi all thim watches meltin. Hei tha's keinda spooky izzen it? Seems tuh me itz commentin on the ephemeral natcha of wor very existence, theu but. He seems tuh be sayin itz as if teim itself duzzen ackshillee pass bei, but maw melts intuh nothingness, if yerz will.

135

An anutha one thar Ah leik's Picasseau. Theu tuh the untrained eye, aw mebbes a philisteen, hiz stuff looks leik rubbish tha yerz wudden give hoose room tee. It's all jumbled up an littil funnee squors an tha, but leik itz woath a fawchoon, evin littil squiggles thar heez done on restaurant napkins an tha man, so tha must mean tharritz brill. Ah'm ganna gan doon tha Sotheby's one dee and bei uz a few a hiz faw the hoose. Ah have a space tuh fill in a doonstors loo an a one a hiz'd gan well in thor.

Modun awt's a birruv an aquiahed taste faw uz leik. Ah think tha some a thim's reet bluffaz torning oot stuff yerz could see in any kid's norsery any dee a the week. Buh thor is one a the modun ones tharra reely leik an tha's Banksy. Man hiz stuff's so mint thar Ah'm thinking a gerrin uz some a hiz. Meind the ernly problem is thar ah'd have tuh gerra lerda extra walls built in the hoose, an tuh be honest the hoose duzzen reely need nee maw walls. Mebbes Ah cud bei uz a street aw summat faw sherin hiz ones on. Aw mebbes ah cud commishun him tuh dee some minachaz.

Meind the woald's merst famiss paintin would have tuh be bei Leaunadeau Da Vinci. Ah divvint kna tha much aboot him tuh tell yerz the truth pet but leik he wuz well clevah an done some famiss paintinz an a lerda utha clevah stuff leik inventin the helicoptah an stuff. Buh whar Ah dee kna iz tharry deffos helped oot durin the war by inventin special codes an tha. The Jormans cudden break thim an so Da Vinci became an enigma because a tha. Ah went tuh see hiz fillum aboot it aall bur Ah cudden make head aw tail uv it man. It went on faw hooaz an didden reely gan anywhor in the end.

But even theu aall tha stuff wuz brilliant an tha, whar Ah reely love aboot him is hiz merst famiss paintin, the Merna Leeza. Faw yeaz noo itz been the centah a the awt woald an it deveeds opinion nee mattah hoo yerz taak tuh aboot it. Faw some peepil itz a fleetin mermint a mystery an intreeg, capchaad bei a genius. Thor's maw tee it, the fans awgue, than just some dumpy boilah wi a keinda funnee grin. What iz she thinking aboot? Deep secrets, love trysts wi ferk tha she shudna been havin? Ah divvint supperze wi'll evah be given a propah ansah. But it'll nevah stop the endless debate.

An then thor's the ackshil subject a the woak tuh considah an tha as well pet. Shiz caaled Leeza del Giocondo an someteims the paintinz referred tuh as 'La Gioconda'. Apparentlee she wuz the weef uv some silk morchant an tuh some critics shiz a beauty beyond compare. A woman wi a smeel tuh dee faw; a smeel that seys everything an yet givz nuthin awey.

137

Ootrageous an prevocatiff an yet somehoo the serl a discretion. Meind tuh uthaz, peepil wi no empathee faw awt, shiz a birruva muntah tha could dee wi layin off the freed foods, carbs an storches an tha man.

An whor dee Ah stand on the herl debate yerz aw askin? Tuh be honest pet, Ah cannat make up mei meind reely. Leik if she came in tuh an audishin az a one a mei back-up dancaz Ah divvint think shid get the gig man. Ah wudden wanna be responsibil faw killin somebuddy bei woakin thim too hoad faw the routeens thar Ah dee durin mei stagesher. Ah'm not treein tuh be teight aw owt bur Ah just cudden risk it man. Aall the bad publicitee could mess up a tooah an cost uz a fawchoon. Bur Ah'd mebbes take hor on as a gofa faw summat, lippy aw hanbags aw summat leik tha, buh deffos nor azza danca.

But leik gannin back tuh the paintin. Whar Ah reely admiah is the composition aw the woak itself man. The use a leet an shade is second tuh none an the fact tha the paintinz noo woath millyins an millyins a poonds proves tharritz great man so on tha basis anybuddy tha seys itz not is wrong. Tha's the great thing aboot awt. Tuh philisteens a red canvas wi a yelleau dot's just nuthin, but tuh an awt lovah leik me it can just az easily symboleeze mankeend's struggil wi hiz angwished tawchad serl an tha.

138

Ah'm thinking a mebbes serrin up a borsary at the Tate aw the Nationil Potrate Galleree tuh encourage new up an comin paintaz. But ernly good ones meind. Ah'm nut gonna stand faw chansaz tha just paint a red blerb on a blue backgroond an call it 'Armageddin' aw summat leik tha. Nee way man! Tuh win mei borsary thi'll hav tuh dee a pickcha uv a neece moontin, rivah or a pony aw summit. Leik Ah'm norra tertal fool, me man pet.

Mei Desert Islan Discs

Ah supperse tha itz ernly a mattah a teim befaw ah'm asked tuh dee this. Noo, if you're a typical one a mei fans Ah'll mebbes need tuh explain wharrit is, coz yerz'll likelee be scratchin yerz headz and wondahrin if Ah'm ganna gan an live on an islan aw summat. Nee way, pet.

Wharrit iz iz one of wor nation's iconic radieau shers. Uv coase it's on Radieau 4 so yerz'll problee nevah a hord it coz yerz radieaus aw stuck on Radieau 1. Bur ovah the yeeaz evreebuddy who's anybuddy's bin on the sher. All the top names in politics, sherbiz, music an the awts an aall an tha. What yerz dee is imagine yerz are ganna be dumped ontuh a desert islan in the middle a the sea and yerz have tuh tek yerz best eight recoadz and a book and a luxury item tuh keep yerz gannin til the rescue yerz. Imagine it tuh be a bit leik yerz favrit playlist on yerz iPods as faw as the music's concerned. Then the herst taaks tuh yerz aboot yerz leef and career an tha. Ah kna, itz well mentil izzen it? But leik az Ah sey, itz a big onna tuh ger inveeted on it. Heaz mei eight best recoadz anyway.

'Penny Lane' bei the Beetils

Ah dern't think yerz can be tekken seriouslee as a foace in the music biz unless yerz sey the Beetils have bin a one uv yerz influences.

'Crocodeel Shoes' bei Jimmy Nail

Aw loved this one coz it aalweys used tuh make uz laff an tha when Ah wuz a littil gorl. Ah thort he had on a pair a shoes leik two crocodeels an tha thi'd mebbes beet yerz if yerz went tee clurs tee him.

Malaher's 4th Symphony

Aw this is mint man! The wey he builds an entiah symphony roond a singil serng, '*Das Himmlische Leben*', is propah amazing an tha. Of coase itz sung bei a sopraneau an itz a very demandin piece tuh perfoam. Itz something thar Ah herp tuh gan intuh once Ah get tired a bein a popstor.

'Thor's No One Quite Like Grandma' bei St Winifred's School Choir

Aw itz lovalee leik izzen it? An it remeends uz uv mei nanna and the Queen Mum, God bless hor.

'Fleet a the Bumbil Bee' bei Rimsky-Korsakov

Aw, man evree teim Ah heah this it remeends uz uv when Ah wuz a littil gorl an tha tee. We used tuh gan ovah the fields filled wi buttahcups an daisees an catch bumbil bees in jam jaws. Aw happee dees, pet.

'Pappa Divvint Preach' bei Madonna

What can yerz sey aboot Madge tha hazzen alreddy been said? Shiz simplee the best. Naa, hang on that's Tina Tornah izzen it? Well yerz kna wharr Ah mean divvint yerz? Ah love Madonna, me. Shiz a huge influence on uz coz we're so similah. Berth a wor's consummate prefeshinils an innovataz leik.

'The Modil' bei Kraftwerk

Ah love all tha retreau stuff tha sounds leik itz bein played bei a gang a tern-deaf rerbots an tha. Aall thim blips, squiggles and blops, pet. Also Ah love the lyrics too man. 'The Modil's got one uv the merst profound couplets Ah've evah hord. Meind it wuz keinda hoad tuh make oot what the wor singin haff the teim coz a the Jorman accents buh leik some a thor stuff wuz jus beautiful. Poetry tha Byron aw Keats aw one a tha lot'd been prood uv. The imagery, the scan . . . just tertally amazing. Leik wow!

'The Cleemb' bei Jer McElderry

Aw Ah love this one, pet. Ah wuz so prood an pleased faw mei Jer when this one went tuh numbah one. Feinalee meind! Aftah thim utha crood beat wor durin Christmas week. Heez a lovalee lad, Jer, an desoaves aall the success thar heez mebbes ganna have.

So that'd be mei eight tunes. Oota tha lot yerz have tuh pick yerz best, say if aall uva sudden yerz wor ernly alood a one. That'd be easy meind, mei favrit'd have tuh be 'The Cleemb' coz leik it represents the pinnickil a all mei mentilin woak wi mei acts. Tuh be abil tuh pass on mei experience an kna-hoo tuh the stors a t'morra is just amazing an alooz uz tuh give back summat tuh the bizniss. Tertally mint man!

Next thing the herst asks yerz is what book would yerz like tuh tek wi yerz an tha. Theu the give yerz the *Beebil* an aall uv Shakespeah's stuff alreddy. Meind wei the dee tha Ah can nevah undastand. Ah divvint think tha the *Beebil*'s as impotant az it once wuz, back in the dee when the sher stoated. Socitee's moril compiss has spun aboot a bit since then. An leik Shakespeah's aall big funnee woads an tha, an neebuddy thar Ah kna can make heid aw tail uv it. Ah think itz included just faw brainboxes and snerbs reely. Buh anyway tha's what the dee. So yerz aw stuck wi them leik it aw nut.

So what extra book would Ah take wi uz? Itz a big ask; Shaw? Proust? Perhaps, bur if Ah weigh it aall up Ah'd likelee bring summat leik *The Very Hungree Catterpillar*, coz tha's a neece cheeahful one an itz got lovalee drawins in it, pet.

Then last uv aall yor alood a one luxury. Ernly a one meind. So Ah think that Ah'd have tuh tek a special lippy tha duzzen evah run oot. Coz leik Ah'd wanna look mei best when the rescue bert comes tuh gerruz an bring uz back tuh civileezation.

Philosofee

Itz a very broad subject, philosofee, izzen it, buh nevahtheless itz a one tha Ah'm very intereted in. Thor's so many branches uv it tuh check oot an wioot a birra help an guidance yerz heid could be left spinnin. So tuh save yerz teim reading aboot thim aall Ah'll tell yerz whar Ah think itz impotant tuh kna. Ah supperse thorz a couple a top ones tha's woath lookin intuh. But meind the best one, sorta the Elvis Presley aw the Beyoncé a philosafaz if yerz leik, would be a gadgie called Sigmund Freud.

Ah think he used tuh be an MP an one a thim gluttons, aw whatevah thor caaled, begins wi 'g', tha leiks thor food. Oh aye, an he used tuh dee advoats wi a dog on the TV an tha, an his dawta Emma's someteims on some a thim keinda poncey awt shers too pet.

Anywey Freud rert a lerda stuff aboot many diffrint theories an tha. But in the end it torns oot tha he wuz just leik reely a birruva dorty get. Coz he reckoned tha merst of the stuff we, man an womankeend tha

147

iz, aall getz up tuh is mertivated bei sex an tha. He said tha sexyil desiah was the primary motivational energee uv human life.

Well tha's a bit ovah the top leik izzen it? Itz certainlee not true as far as Ah'm concerned. Leik Ah love lippy, shoes an hanbags faw a stoat, so bang goes his theory far as Ah'm concerned. Coz, sey pet, Ah gan oot on Rodeeau Dreev faw a birra retail therapee, Ah'm certainlee not thinking owt aboot sex me. Nee way!

Ah think tha mebbes somebuddy shudda put some a that stuff in his tea, leik what the used tuh dee tuh wor soljaz in the trenches durin the war so az the didden miss thor weeves too much.

Anyhoo itz because a Freud tha when yerz gan tuh yerz doctah and tell thim tha yerz are feelin keinda funnee, yerz meight end up lyin on a cooch somewhor telling a tertal stranja aall aboot yerz deepest secrets an repressed desiahs an tha.

Ah cud gan on an on buh leik tha's aboot aall thor is tuh kna aboot philosofee reely. Ah divvint wanna bang on aboot it or yerz'll not undastand wha Ah'm seyin. Yerz could spend yeeaz an yeeaz reading lerdza diffrint ones. Nitchee, Kant an hundreds maw a thim but itz a birruva waste a teim coz aall the philosofaz sez summat a bit diffrint an when yerz weigh it aall up itz a case a payin yerz munnee and takin yerz choice. Ah divvint think nun a thim's reely gorrit sussed.

Ah'll bet when yerz bought this book yerz didden expect tuh ger an education, buh leik tha's just me, pet. Ah'm a gift tha nevah stops givin.

Mei 10 Favrit TV Shers

Antiques Rerdsher

When Ah've got some teim tuh sit doon on a Sundee neet Ah love watchin this pregramme man pet. Leik itz such a simpil idea burrit woaks so well. Just get puntaz tuh torn up wi a lerda erld junk tha the feind in thor attic aw summat, get one a the export gadgies tuh tell thim wharrit iz, an next thing it torns oot to have been painted bei Dick van Deek an itz woath a fawchoon!

Meind someteims it can be even bettah when some stuck-up posh snerb thinks tha the've gorra Picasseau aw summat, an the bring it along all smug an tha. Ernly tuh have the export tell thim tha itz a fake an tha it wuz painted two weeks earliah oot in Morroceau an itz woath aboot 50p. Man, Ah divvint kna aboot the paintin buh the look on the puntaz faces when thor telt tharritz a lerda junk is certainlee priceless!

Come Deen Wi Me

Ah love this one an aall. Have yerz seen it? Wha happens is tha fowa stranjaz meets up at each utha's hooses every neet an the herst of the hoose each evenin cooks a meal faw the uthaz three. Then they merstlee aall get bladdahd an bitch aboot each utha in the back uv a taxi on the wey yem.

Thomas the Tank Engine

This ones keinda bonkaz. Itz aboot aall these littil train gadgies wha lives on an islan. Thor aall diffrint coulaz and have faces on the front of thim an the can speak tuh one anutha as well.

Thor's this fat blerk hooz the boss leik, an he tells thim aall what tuh dee an tha. Someteims the ger intuh aall sortz a botha, man, an then the littil blue one, Thomas, usualee comes up wi a plan and sortz it aall oot in the end.

Ah think it wuz written bei the Beetils when they used tuh get wasted on drugs an tha because a one a thim narrates it. Itz supperzed to be faw the bairns an tha reely pet buh honestlee some uv the stories are well mentil an maw leek summat oota a dope-fuelled madness.

The News

This one's mint man! Leik sey yerz wanna feind oot wha's happenin in the woald aw heah in the UK, well if yerz just watch the news it'll tell yerz aall aboot tha. It used tuh be tharrit wuz on two aw three teims a dee but noo thors herl channels uv it an yerz can see news twenty-fowa seven. Itz OK an tha bur it can be a birruv ovahkill as well, coz say thor's some big storee gannin on, well noo evree fifteen minits yerz can see the same interview wi a gadgie aw shotz from a heli-coptah pleyed ovah an ovah again until yerz feel leik yerz are gannin mentil.

Eastendaz

Eastendaz is one a wor favrit serps. Stendaz, as we call it, haz been gannin noo faw yeeaz an it haz lerdsa fans. Itz set in London's East End an whar Ah reely leik aboot it is itz misery an tha. Unleike itz main reeval, *Coronation Street*, which is well amusing an funnee. Buh the divvint dee funnee doon Walford wey. Stendaz iz pure misery from stoat tuh finish, oh aye, pet, itz reel propah well depressin. One thing in pawticulah thar Ah leek aboot it is tha scenes hoadlee last moa than three seconds so it izzen hoad tuh follow. Leik a typical scene'll mebbes gan a bit leik this.

CHARACTA 1:
Whass gahin on?

CHARACTA 2:
Whass gahin on?

CHARACTA 1:
Yeah, you deaf aw summink? Whass gahin on?

CHARACTA 2:
Dunno. I gotta go. I gotta give sambuddy a slepp. Lataz pal!

Mint izzen it? Thor's nee reel plot tuh follow an if yerz miss a coupla episeauds then next teim yerz come back it's exactlee the same thing. Thor aalweys gannin on aboot 'Faimerleee' an yerz nevah see anybuddy havin a laff aboot owt. Meind theu, thor wuz this one teim tha Phil Mitchell looked leik he was smeelin, burrit torned oot tuh be trapped wind aw summat leik tha.

Top Geah
Itz aall aboot motaz man pet an itz hersted by these three gadgies what's aalweys gerrin up tuh mad stuff. A one a the presentaz, Richad Hamstah's lovalee so he is, an tuh tell the truth tha's the ernly reason the sher's in mei top ten. Heaz a babe; but leik in aall honestee the sher itself's a lerda rubbish if yerz not obsessed wi caws.

The Apprentiss
Ah love this one man! Itz well mint. Itz aall aboot a

lerda peepil tha's so faw up themselves itz untrue pet! Honestlee merst a thim aw so horrible thar Ah doot if evin thor parents could love thim.

The idea is tha this lot have tuh crack on tuh be two teams, aall helping one anutha an tha, but what thor reely deein is stabbin each utha in the back soaz the can gerra big job wi Load Alan Sugah. Yerz kna, tha gadgie wi the beard tha became a millyinaw oota sellin rubbish electric geah tuh the masses.

Anyhoo the contestints aall come on an sey hoo brilliant the aw an hoo Load Sugah'd be mentil if he didden pick thim as hiz apprentiss. Evree week he sets thim a business task an the team tha looses getz one a them hoyed off the sher. Thatz the best bit coz three a thim getz brought intuh the bawdroom an have tuh awgue faw thor surveeval. Thatz when it getz reely mint, coz up until then the've been pretendin to leek each utha, buh at tha stage the reely get stuck in. Each one seys tha the utha two's rubbish an tha thor the ones tha Load Sugah should keep on the sher. It getz well nastee an bitchee until Load Sugah deseeds which one a thim tuh hoy off. When heez made up hiz meind he pointz hiz fingah at whoevah it is an seys his catchphrase: 'Yerz fiahd!'

Then whoevah's bin chucked oot seys 'Thank yerz so much faw the oppatunitee tuh tek poat in the process Load Sugah,' but yerz can see tha the divvint reely mean it an tha deep doon thor propah ragin an jus gannin through the mershinz. Then the gerrup an gan oot an wait faw the utha two tha's surveeved tuh come oot. Then the aall havva birruva hug in reception an then the one tha's kicked off the sher has tuh gan yem in the back of Load Sugah's limeau. Then it aall kicks off again the following week until one a thim getz the job. Then the gan tuh woak faw Load Sugah faw a few weeks an then torn up presenting deeteim TV a coupla months lataz.

The Weatha Forecast

This one's brilliant. Some gadgie or gorl comes on an stands in front uv a map a the UK an tellz yerz what the weathaz ganna be leik. That's well handee, say if yerz hav tuh gan oot an yerz wanna kna wha tuh wear.

Itz propah easy tuh undastand too. If itz ganna be sunnee the purrup littil pickchaz uv a sun and if itz ganna be rainee the purrup some littil cloods. Meind haff the teim the gerrit tertally wrong, but still the givvit a gan divvin the? An yerz cannat knock thim faw treein.

The someteims put up the names a toons on the

map an Ah reely leek tha coz say leik Ah'm on tooah wi mei band in somewhor leik Leeds, well if the put up Leeds on the map then Ah kna whor Ah am tha dee.

Big Brutha

Aw man itz just tertally mint. Itz aall aboot gerrin a lerda peepil (hoosemates) stuck in a hoose tha the cannat geroot uv an seein if the can be sent mentil by weendin thim up wi aall sortz a psychologickil meind games an experiments. Thor's cameraz on thim twenty-fowa seven an yerz can see evreething tha the gerrup tee. Evreething!

It gans on faw aboot three months in the summah an in the end a one uv thim is the winnah an getz a lerda munnee. The tabloid press love it coz it means tha the divvint hav tuh reet aboot anything else faw a herl three months as thor's nomalee a lerda scandal an dorty business gannin on in the sher. Ah love watchin it in the middle a the neet coz wha yerz see is a black an wheet pickcha a peepil just sleepin. Some-teims Ah divvint think TV getz any bettah.

Delia Smith

Aw shiz just brilliant leik. Faw yeaz noo shiz bin teachin wor nation hoo tuh cook. I expect tha shiz saved maw marrijiz than shiz made hot dinnaz bei teachin peepil hoo tuh look aftah thor poatnahs propalee. Shiz become tha famiss tha noo shiz ackshillee a woad in the dictionaree. How amazin is tha?

An leik aall hor recipes woak evree teim an thor dead easy tuh follow. Someteims when Ah hav guests roond faw a dinnah poaty leik Ah sed befaw Ah use one of hor recipes tha's a poasinal favrit. Itz called 'Lettuce special'. Yerz just gerra lettuce an stick it in the middle a the table. Then evreeone just gets stuck in an takes a leaf when the want one. Itz simpil tuh prepare an means tha yerz divvint have to leave yerz guests on thor ern bei havin tuh gan off an cook. Yerz can do aall sortz a dips an tha with it. Delia gives the recipes faw thim, buh leik generalee Ah cannat be bothad coz Ah'm someteims on a deeit.

But Delia's regahded as a saint an shiz loved bei one an aall an haz nevah purra foot wrong hor entiah career; except mebbes tha teim she got bladdahd at the footy an went a bit mentil. But apoat from tha shiz been amazing.

Property Porn

Ah kna this one's a birruva cop oot an whar Ah've picked is maw uv a pregramme genre than an ackshil sher, but thor's so many a these shers oot thor tha itz hoad to have a favrit one ovahaall. But Ah'll tell yerz the keinda ones Ah reely love.

Yerz aalweys have a couple; heez likelee caaled Max an shiz caaled summat leik Poppy. Thiv made a packet oota robbin peepil bleend in bizniss in the City, an the fancee gerrin a holidee herm, eitha in Devon aw Monte Carlo. Buh the problem iz tha the ernly have a budget a two millyin poond so thor havin to be frugal aboot what the choose.

Ah feel shers leik this must have so much resonance wi the man in the street. Ernly two millyin poond tuh spend on yerz second holidee herm. It's terribil man! It teaches wor all a good lesson aboot the need faw uz aall tuh be careful when we spend wor munnee. Ah think we can aall relate tuh Max an Poppy's sense a frustration at not bein able tuh specifee hand-crafted Italian marble teels faw thor wetroom because thiv alreddy spent twenty-feive thoosan poond on the gerld an dimind encrusted taps faw the bath, bidet an wash handbasin.

Ah love lookin at pooah peepil leik Max an Poppy, me, coz it remeends uz a mei ern humbil beginnins. Itz good faw me tuh remembah tha some peepil's noraz well-off az wha Ah am, an tha the cannat have gerld an dimind taps and hand-crafted Italian marble teels just leek tha. Meind if Ah wanted tee Ah could have the herl hoose made oota gerld, diminds an Italian marble coz leik Ah'm minted. Buh of coase tha's not the point, izzit pet?

So tha's mei favrits buh noo tuh introduce an element a controvassy. Ah'd just leik tuh say summat aboot a populah sher tha a lerda peepil leik, an if Ah'm bein honest Ah'd leik it an aall if it wuzzen faw two things, pet. The contestints an the presentah. Whar am Ah taakin aboot?

Deal aw Nee Deal

That's wha. Leik Ah'm evin-tempahed as a rule, me, bur Ah'll have tuh ask yerz tuh excuse uz heeah, pet, coz Ah'm gannin tuh have a birruv a rant aboot this sher. Ah feind it amazing tha thor's so much heep surroondin it. Leik Nerl Edmonz is aall reet reely as a blerk an tha, apoat frum the beard an thim shortz, buh the wey he hersts the pregramme, man, dreevs uz neely mentil.

Foastlee thorz the contestints. Caall me cynickil, reet, bur if them lotz ordinree puntaz off the street then Ah'm Mawgrit Thatcha. Man thi've gorra be straight oota centril castin haven the? Thor's not a one a thim that yerz could reely leek. Evin the erld grandadz an nannaz, thor's summat unreel aboot thim. An az faw the youngstaz tha's on thor, yerz cud end up deein teim faw ABH aw summat worse if yerz cud gerra herld a thim. Thi'd test a mam's love tuh breakin point. So az faw as Ah'm concerned wi a crew leik tha itz aff tuh a bad stoat anywey. But thor's worse tuh come when the game ackshillee begins because the contestints who at foast aw just a bit irritatin then get maw annoyin, leapin aboot the set an gannin through a lerda rehaused anguish an emershin. Buh evin tha's not the worst bit, coz then Nerl cheems in an it becomes sheeah tawcha.

Nerl stoats waakin up an doon struttin aboot leik a peacock an bangin on aboot 'stratagee', 'game-pley' and the 'skill' the pleyaz is using durin the game. If quite a few uv the boxes wi the big munnee's left towahds the end a the game he stoats witterin on aboot things leik 'a textbook game', 'amazing game-pley' an then telling the contestint tha thor 'one a the merst skillful pleyaz evah'. What's tha aall aboot? Faw God's sake Nerl, man pet woman pet man! Gerra grip on yerzself pet. THESE PEEPIL AWN'T DEEIN ANYTHING BUT GUESSIN NUMBAZ! THAT'S ALL NERL MAN! THOR JUST STABBIN IN THE DAWK PET! A flay landing on the boxes tertally at random is gonna pley just as well. If yerz could hoaness what littil intelligence thor is in the miniscule brain of an ameeba then it could play evree birraz well an aall. Thor's nee skill Nerl! Itz just guess aftah guess aftah guess! If these peepil dee have a skill, an tha's debatibil, itz tha the can recogneeze the numbaz one tuh twenty-two. Faw pitee's sake Nerl, man pet presentah foamer DJ man, pack it in an just lerrem get on wi thor guessin an leave uz aall in peace. Stop insultin wor intelligence man!

Reet, rant ovah an Ah feel bettah faw havin got tha aff mei chest.

Classic Litrachoor

One a mei greatist pleashaz in leef has tuh be wor huge legacee a litrachoor tha Britain's authaz has given the woald. From Shakespeah tuh Dickens, Kipling tuh Coleen Rooney, the list is almerst endless an spans evree keinda book an genre tha yerz cud evah wanna read.

Leik when Ah wuz a youngsta Ah loved Enid Bleetin's *Famiss Feive* stories an Ah musta read thim aall a hundred teims. Faw a littil gorl livin on a coonsil estate the wor a wondaful sauce uv escapism. The give uz the chance tuh see wharrit wuz leik comin frum a familee tha had a birruv dosh an tha. Ah supperze tha the characta Ah identified wi the merst was Joaj. She wuz mint man an a reel rerl modil an fowarunnah faw weemin's emanshapashion. Meind in retreauspect Ah someteims wondah theu if mebbes Joaj had issues an tha mebbes she meight hav benefited frum a birruv counsellin an tha in latah leef. Coase in thim dees tha sorta thing problee wuzzen evin invented aw owt.

Then thor wuz Dickens, he wuz well mint man!

163

All them tales a misery an tha. If Ah wuz feelin doon, pet, thor wuz aalweys a one a hiz an tha would cheeah uz up, coz leik no mattah hoo hoad up we wor as a familee evree characta in his books wuz neely aalweys worse off than wiz wor. Thinking back Ah nevah physicalee read the ackshil books themselves, buh leik the BBC wuz aalweys deein a one a thim on a Sundee neet.

Then there wor the classics. Peepil leik James Joyce, Oscah Weeld an tha lot. One teim, reet, Ah got aall mei pockit munnee an bought uz a copy a *Yullyseez*. Ah wuz detoamined to read one a the great woaks a modun litrachoor an nuthin wuz ganna purruz off an tha. Itz aall aboot this gadgie caaled Leoperld Bloom an whareez up tee on this one particulah dee in Dublin. Duzzen soond very rivitin duz it, Ah'm suppreezed tha the synopsis alern didden purruz off tuh be honest. Buh Ah wuz young an keen tuh bettah meiself. 'Cheryl,' mei teacha had said, 'yerz'll nevah broaden yer horizins wioot foast broadenin yerz meind.'

So Ah thort tha Ah'd sher hor an then tell hor aall aboot mei acheevmint once Ah'd finished the book. So anywey Ah got stuck intuh it but Ah hadda pack it in aftah the foast page. It wuz just well mingin. Ah cudden make head na tail uv it. Just terribil. Nuthin burra lerda fancee big woads an tha an grand concepts.

Theu in the end Ah wuz glad thar Ah'd ackshillee bought a copy coz it woaked oot aall reet; it wuz the ideal thickness tuh herld up mei bed when the leg brerk off aftah Ah'd bin trampaleenin on it. So it wuzzen aall bad news.

The Opera

Noo thar Ah'm a lot maw sophisticated than Ah used tuh be, Ah'm feindin tha mei musicil tastes iz developing an tha, an Ah'm beginnin tuh embrace many diffrint genres thar in the past leik, Ah didden leik at all. An nowhor is this maw apparent (heah, wud yerz listen tuh uz taakin leik a snerb) than in mei new foond love of opera. Ah'll tell yerz this an aall, itz tertally mint man!

Noo yerz meight be reading this an be thinking: opera, whar aw yerz gannin on aboot Cheryl, man woman pet man? Opera's nuthin bur a lerda lard awses aall dressed up caterwallin an screechin an runnin aboot a stage an tha. Thor's nee beats aw grooves aw bangin tunes aw owt; but tha's wor yerz'd be wrong. Itz got aall a tha an maw. Opera's gorrit aall gannin on. Honestlee. Thor's love, hate, murdah an lerds an lerds a sex an intreeg happenin up thor on stage.

Basicalee merst uv the stories aw the same. Some big fat blerk, the tenner, comes on an dees a birruv singin an tha. Next the love a hiz leif, the sopraneau, comes on. She's nomalee some big erld boilah too, an she does anutha birruv singin. Next some utha geeza shers up an buggaz it up faw the fat blerk. The big erld boilah stoats flortin wi him an the fat blerk getz blern oot faw a bit. So leik, he cops the reet hump an deseeds tuh gerriz revenge. So the fat blerk nomalee morders the utha geeza ernly tuh hav the boilah kill his mutha aw summat. Then the King aw Queen aw Load Foanes Boanes shers up an thor's a bit maw singin an tha. It aall getz a bit of a muddle aftah tha befaw the big erld boilah finishes wi the sher's biggest track, an then itz aall ovah. Mint.

Nomalee the divvint sing in English, not unless itz norra very good sher. Aall the top acts dee thors in Italian aw mebbes Jorman. Tha's what makes it so enjoyable coz even if yerz haven a Scooby wha thor gannin on aboot yerz can keinda make it up in yerz heid. Tickets iz well pricey an tha's deseened tuh keep the riff-raff oot. Yerz wudden wanna gan tuh the Opera Hoose an end up sittin beseed some scousaz aw cocknees aw tha man. Leik it can cost hundreds a poond just faw one seat, an evin maw if one uv the top acts is storrin in it. Yerz kna, the leiks a Paul Potts aw tha.

The top guy used to be a big Italian lad caaled Pavarotti an he was an inspirashin tuh uz leek. Coz leik he used tuh be rubbish; neebuddy'd hord uv him until he sung the music faw the Woald Cup one yeeah. Aftah tha he wuz brilliant and it cost an arm an a leg tuh gan an see him. Sadlee theu he deed a few yeaz ago. Burrit just shers tha yerz should nevah give up coz even peepil wioot a lerda talint can gerra luckee break.

Each sher haz a coupla top tunes tha yerz've problee hord on TV as backing music at someteim, so itz likelee tharrit willint be aall new an tha yerz can mebbes sing along tuh one a two uv the top hits. Meind the utha peepil what gans divvint leik yerz deein this. Ah think the regulaz have a special name, noo wharizzit? Begins wi 'b'. Oh aye tha's it. Thor called 'berks'.

Well anyhoo, az Ah was seyin, they divvint leik yerz singin alerng. Leik this one teim Ah wuz arra sher called *Turandot*, wha keinda name's tha bei the way? Mentil izzen it? Anyway tha one tha's the football music, Nelsin Drogba, came on an it was tha utha Italian blerk's gig. Yerz kna him, Placebeau Dorrito aw whatevah. So he stoats up the numbah an itz gerrin neah the end. He reaches tha bit wor the bairns join in befaw the big finish. Ah love tha bit, so me bein a top singah meiself Ah thort Ah'll gi 'im a birruva lift an join in wi the bairns. Man yerz shudda seen the looks the opera berks gave uz. Daggaz the wor, Ah'm tellin yerz. But leik Ah've lornt to ride a bad audience so Ah just carried on leik, singin along wi yer man; Ah even did the big nert at the finish. At the end an usha came up an asked uz tuh leave but tuh this dee Ah still divvint kna wei. Bonkaz coz leik not ernly did the get Placebeau Dorrito but Cheryl Kerl az well. Dubbil bubbil faw nee extra dosh. It sounded well tastee tuh me leik an the next dee Ah got mei peepil tuh contact Placebeau an offah tuh dee an album a duets wi him. Burry nevah got back tuh uz.

Meind if aftah reading this yerz feind yerz fancee treyin oot the opera, make shor yerz divvint stoat wi a one a Wagnaz gigs. Man hiz stuff's a bit iffy an it gans on faw neets on end. Yerz'd likelee end up killin yerzself just tuh to make it aall end. An wi all them bodies pilin up on stage yerz wudden be at aall oota place, coz in hiz shers the drop leik flays man.

One result a mei love affor wi opera is tha someteim, in mebbes a yeah aw so Ah'm ganna dee mei ern opera album. Whar ah'll dee is tek all the big tunes an hits an tha. Yerz kna, the ones tha Kiri an Katherine Jenkins haz written an put on thor albums, an dee thim in mei ern inimitable steel. Ah think tha could be well mint an tha an it would help make opera intuh a mainstream music genre. Just imagine me appearin in *Tossa* at Corneggy Haall, Dreary Lane aw Sidney's

Opera Hoose. That'd be mint wudden it? Well itz soatinlee summat Ah'd pay oot a few quid tuh see.

So anyway, tha's opera in a nutshell. Pricey, sophisticated buh well woath the effort. Just think if yerz dee givvit a gan yerz can tell everybuddy aboot it at yerz next dinnah poaty an then yerz'll look well brainee winnit yerz?

Musicil Genres

Yerz kna az a cutting-edge awtist Ah leik tuh think thar Ah have reet eclectic tastes when it comes tuh music. From Vivaldi tuh Motaheed Ah love the lorra thim. So leik heaz whar Ah think aboot some a the merst populah teeps a music.

Country

This iz a genre thar Ah reely leik man bur a one tha peepil's all too keen tuh dismiss az merstlee senta-mentil rubbish. A coase it iz merstlee sentamentil rubbish, buh thor's maw tee it than tha. Honestlee, pet man, modun country is well cuttin edge an iz a bit tongue in cheek someteims wi sendin up aall tha 'Mei dawg upped an deed' stuff.

Thor's a coupla diffrint teeps a serngs yerz'd nomalee heeah. The merst well kna'n'd be the 'erld school' sad ballad aw bad salad as some call thim. These aw aalweys the same keinda thing. If a gorl's singin it itz aall aboot hor man wha's done hor wrong an tha. Heez likelee bin gaddin aboot wi anutha bord beheend hor back an shiz aall brerk up aboot it. It usualee chuntaz on faw a coupla vorses aboot hoo the two a thim met in heighschool an tha, then got wed, hadda bairn caaled Katy Sue, an then when thor aboot tuh move intuh the dream cottage wi aall rerses roond the daw, this bord caaled Jolene aw Lori Beth aw summat, shers up an torns hiz heed an the next thing iz heez well smittin an sniffin roon hor big steel.

Bei the teim the middle eight's finished the weef's been kicked intuh touch an yer man's shacked up wi the new bord. The last coupla vorses's aall aboot hoo if hee'll ernly come back the weef'll fawgive him an tha, an mebbes the can purrit aall beheend thim an can stoat aall ovah. Meind, itz nomalee fifty fifty wha happenz in the end. Some dee gan back an the live happilee evah aftah, bur uthaz stay wi the new gorl, an in tha case it nomalee endz in some keinda death aw bloodbath; wi at least some aw all uv them bein poisoned aw gunned doon in kerld blood.

Noo on the utha hand if the blerks singin it, altheu it can often be the same storee in revoase, utha teims the weef catches some dreadful illness, leik TB aw scarlet feevah, an she fades awey an deez in hiz arms. Itz well sad an bei the teim yerz've finished listenin tuh a herl CD a tha keinda stuff, pet, yerz feel leik toppin yerzself an tha.

Then thor's the utha sorta numbah an tha's neely aalweys sung bei a blerk. It's aalweys aboot hiz dog, Shep aw Rex thor nomalee caaled. Thiv lived wi the blerk since the wor a puppy an then usualee jus befaw thor aboot tuh gan the kennel in the skei, the somehoo save the blerks life buh dei in the process of deein it. The last leen in them serngs's aalweys summat leek 'Rex, mei erld doggy mei erldest an best fren, yerz wor a wondaful companyin an faithful tee the end'. Aw, hoo sad's tha?

Heavy Metil

Aw man, thor's nuthin bettah tha blastin oot a birruv heavy metil when yerz aw bermbin doon the erpen rerd wi the top doon on yerz spoatz caw. Itz just the best pet. The poondin drums. The threrbin bass, the squealin guitah an the vercalist soondin leik heez gorriz nadgaz caught in a mangle. Amazin!

Metil's bin aroon faw ages an leik a lorra awt foams it changes an develops as it gans alerng. Buh problee the merst weel kna'n mainstreem band iz Led Zeppelin. Thor best kna'n faw singin the tune tuh *Top a the Pops* theu the did dee anutha one a two as well. Oota aall the many metil bands theu mei favrit's Motaheed. Thor stuff's brill an Ah love thor bassist an singah, Benny. Heez goajuss wha wi hiz rugged good looks an aall.

Nooadees thor's also a sub-genre caaled death metil. Noo wha this iz iz a bunch a chansaz hoo just make a horrible noise, pet. Aall thor serngs aw pleyed at bonkaz speeds wi the vercalist soondin leik heez havin hiz tonsils ripped oot bei a rabid dog. The best kna'n one a these iz Slipknot. But leik thor just complete rubbish! Thor serngs are so fast man tha some a thim ernly lasts aboot feive seconds! Leik hoo daft's tha? Imagine treein tuh woak oot a dance routeen faw a serng tha ernly lasts tha lerng. It'd hoadlee be woath changing yerz ootfit faw it, would it?

Gangsta Rap

This is a lerda gadgies kitted oot in big baggy clerthes an lerdsa bling. The lyrics can be a bit nastee leik too, an the often gan on aboot vileince an tha. Thor's reely heavy beats as well man. Itz leik an acquiahed taste reely.

Hip Hop

This is keinda leik gangsta rap buh wioot aall the vileince. It's aall aboot MCin an DJin an utha keindz a bluffin. Stuff leik mixin an tha. Mixin's when a DJ getz two diffrint recoadz an stoats pleyin the foast faw a bit, mebbes a few minits. Then befaw tha one's finished the stoat up the second one an fade it intuh the foast one. Tha's caaled a mix an the top DJs tha's deein it in the clubs an tha makes a lerda munnee oota it. The ackshillee get tret leik reel musicians bei some peepil. Ah mean tha's tertallee amazin izzen it? Coz aall thor deein is passin aff utha peepil's music as thor ern. Hei, neece woak if yerz can gerrit, eh?

Reet so noo Ah've terld yerz aboot fowa genres an one sub-genre tha awn't reely music at all, Ah'm ganna move on tuh the most amazing an best keinda music thor is. Thor's nee bluffaz aw chansaz tuh be foond heah. Nee wey man pet!

Classikil

An Ah kna wha yerz aw seyin if yerz aw a fan a mein leik. 'Aw naa Cheryl, pet. Classikil music's a lerda stuck-up snerbs pleyin serngs wi nee lyrics tha gans on faw ages an ages man!' Buh yerz aw rerng aboot tha. Honestlee. Fair enough leik some a it does gan on an on, thor's nee doot aboot tha, buh yerz hav tuh pawsuveeah wi it an aftah aboot six months aw tha, yerz'll stop hatin it an mebbes begin tuh get summat oota all tha hoad woak yerz've purrin.

Problee the best thing tuh dee is stoat wi some a the top acts tha yerz've likelee hord on utha TV shers leik *The Apprentiss* an tha. Ah'd reccahmend mebbes Beethervin, Motzoat an possiblee Prercoffeeiv. In fact tha last one yerz'll kna alreddy. He done tha top Christmassy track aboot sner an a sleighreed. Itz on the telly evree Christmas. Yerz kna the one, noo hoo duz it gan? Oh aye! Dah dah-dah-dah-dah-dah-dah dah dah dah. Dah dah-dah-dah-dah dah-dah-dah. Aw itz lovalee an tha!

Jus think if yerz purrup wi it an lorn tuh ackshillee stick wi it, then when yerz aw arra poaty an sumbuddy yerz fancee asks yerz wha keinda music yerz're intuh, yerz can tell thim classikil. It'll make yerz seem well sophisticated an the'll be propah impressed. An leik yerz nevah kna wha tha could lead tuh, coz leek if thor a stuck-up snerb, an the leik classikil music an aall, thi'll likelee be lerded wi munnee, so yerz can mebbes gerrin thor dubbil quick an marry thim an set yerzself up faw leef.

Meind a woad a warnin heeah. Divvint botha listenin tuh modun classikil compozaz leik Stockhoosen aw peepil leik tha. Thor a bit leik the death metil uv classikil an honestlee thor tertal rubbish man. Shockin, jus a lerda noise.

Ferk

This one's a birruv a posah. Leik in the UK itz a lerda geezaz wi wooly jumpaz stickin thor fingaz in thor eeaz an singin a lerda nonsense aboot dickee dei doz an tha. In America itz a crood a slack-jawed yerkils wi banjers an guitaz, singin a lerda stuff aboot possum belly an grits an granfathaz clock an tha.

Buh as itz poat uv yor country's heritage, no mattah whor yerz aw frum, yerz have tuh sey thar itz good. Even leik if itz morris dancaz an tha. Yerz divvint have tuh bei nee CDs aw owt. Itz jus best tuh crack on yerz leik it if anybuddy asks yerz any questions.

Sataleet TV Ads

Hoo often have yerz bin sittin at yem watchin Jeremy Keel aw Jerry Springah on Skei aw Vorjin an the advoats come on? Yerz'll problee have nerticed tha thor's ernly a coupla teeps a ads on thim channels. The divvint sell owt leek dog food aw washin-up liquid. Nee way, pet. The sell summat entiahlee diffrint. Stuff tha yerz'd nevah think aboot undah normal circumstances. Man the dreeve uz roond the bend coz thor on aboot a hundred teims a dee.

The erldest ones aw faw insurance. An aall soatz uv insurance too. Thorz leef covah, health covah, pet covah, an covah faw yerz motaz. Evree keinda covah undah the sun reely, but the best of the lot is the covah yerz can get faw aftah yerz're deed man! Whatz tha aall aboot? Hoo gives a stuff aboot insurance faw when yerz've snuffed it? Not me anyhoo. Az faw az Ah'm concerned the can purruz in an erld sack an chuck uz in a herl somewhor.

It cracks uz up leik. Some erld poasinalitee mei nanna used tuh watch on telly comes on an seys:

'Have yerz taken intuh accoont them feinal expenses? The last expenses yerz'll evah need tuh considah? Willint yerz feel happy wi the peace a meind it brings tuh kna tha thi've aall bin sorted oot aftah yerz've gan on tuh meet yerz makah?'

Well excuse me, Ah divvint think so pet thanks very much! Ah'm ganna be deed so hoo's these ads aimed at leik? The spirit woald aw summat? An then at the end when thiv telt yerz wei yerz cannat live (sic) wioot thor insurance, the sher yerz some well manky littil gift tha yerz get if yerz fern them up tuh gerra policee. Itz nomalee rubbish leik a pen, a radieau aw a clock. Tertally mentil! Ah'm deed if yerz divvint meind so Ah'm just ganna gerron wi mei leif thanks aall the same.

The second keinda ads iz whor some gadgie's up a laddah an he faals aff it an horts hizself, an if itz not tha then some woman sleeds on spilt wattah and horts horself. Then a voice peeps up:

'Have yerz been hort in an accident tha's not yerz fault an tha? Well tha's mint coz we can help yerz gerra lerda munnee because uv it.'

Then it gans on tuh sey tha yerz can take peepil tuh the cleanaz bei makin them take the blame faw what wuz reely just an accident. It shers a lerda peepil tha seems tuh be well chuffed tha thi've got badlee hort an maimed an tha, smeelin at the camera an herldin up cheques wi the munnee tha the got faw thor accident. So leik it seems tha noo thor's nee such thing as an accident nee maw. Thor's aalweys some-buddy to blame. If yerz ask uz, pet, then Ah divvint think tharritz very fair an tha. Leek someteims stuff happenz an yerz cannat do owt aboot it.

Then the thord an newest keinda these ads is one whor thor bangin on aboot cash faw gerld. The idea seems tuh be tha yerz send off faw a gerld kit. Ah'm not shua exactlee wharra gerld kit is leik, pet, burraz faw as Ah can make oot, it seems tuh be nuthin maw than a jiffee bag. Bur anywey yerz put any gerld tha yerz aw desperit to get some munnee faw inseed yerz gerld kit an send it back tuh these gadgies. Then when thi've gorrit, the make yerz an offah tuh bei it faw aboot haffa wharritz woath. Ah haven a Scooby wha happenz aftah tha but leik it seems daft tuh uz. Hoo wantz tuh be bothad tuh gan through aall tha just tuh get ripped off man? Nut me thanks pet. Buh then Ah'm not in finanshull trubbil an desperit tuh get munnee somehoo, mebbes tuh feed mei bairns aw pay lern shoaks aw summat leik tha. Itz just sad tha thor's a lerda peepil oot thor tha mebbes aw.

Deeteim Chat Shers

Dee yerz evah watch thim shers tha's on deeteim TV? Jeremy Keel an Trisha an thim uthaz? Thor caaled chat shers buh wha the reely aw is a lerda common as muck peepil washin thor dorty laundree in public on the telly. Thor a disgrace, pet, an if Ah've got nee engagemints in a dee then Ah wudden dream a missin thim. Tell yerz what, tha Jeremy Keel's something else. Have yerz evah seen him man? It's leek the peepil on thor's from another planet. An the topics he covaz man are shockin. Thor wuz a one on the utha dee called 'Ah'm 65 an Ah'm pregnant wi mei best fren's 15-yeeah-erld son's babby' an Ah'll tell yerz this, it didn't pull no punches eitha. Left nothing to the imagination. Ah was rivited. In the end the tuk a lee detectah test and it was aall true!

An what is it aboot aall the peepil that's on there? All the weemin's got greasy dorty hor. If the ackshillee have any teeth then half a them's missing and the ones thiv got left's brerkin an jet black. Ah expect thor an LA cosmetic dentist's idea a hell man. They're aall aboot 16 stern and wear porple tracksuits that's tee small faw them. The have thor mams on wi them faw support buh leik thor just as bad. It usualee torns oot tha the mams has been knockin off the dawtaz boyfrens, aw poatnahs aw lesbian gorlfrens, an that leads tee a big punch-up on stage. Then thor's the blerks. Man the aall look leik weazils aw rats an tha. Thiv got greasy hor tee an itz plastahd ovah thor foreheads wi a horrible littil fringe, and yerz can practically see the grease drippin off it. Thor teeth's shockin too man. They've got tattooz aall ovah them. Thor was a one on the utha dee an he had 'Ah'm a reet bastad, me' tattooed on hiz neck. Thiv aall got gorlfrens on wi thim too, but it aalweys torns oot tha they're knocking off the gorlfren's mam, aw sistaz, aw berth!

Jeremy Keel stands thor in the middle of it aall shootin at thim an tha. He plays the big tough guy wi the blerks an yerz can see tha the wanna gerrup an deck him. Bur a coase the cannat coz he's goran army a bouncaz standin by to protect him. So he can give it loage an neebuddy can dee owt tuh him man. Theu some dee Ah think heez ganna annoy some guest so much tha the bouncaz izzen gonna stop thim in teim an thi'll grab Keel an punch hiz leets oot.

Twittah an Facebook an Tha

Sershil netwoaking's the big thing these dees izzen it? Itz aall ovah the place an thor seems tuh be nee wey of avoidin it so best thing is tuh ger inverlved wi aall the diffrint ones.

Ah supperse it aall kicked off wi things leik onleen forums tha peepil set up faw leik-meinded ferks tuh ger inverlved wi. Leik faw exampil sey yerz wor a sad get an yerz became a bit obsessed wi *Big Brutha*. Then yerz could gan on a forum aall aboot it an leave comments aboot aall the hoosemates. Theu wei anybuddy'd wanna waste thor teim discussin the lerda neebuddys tha appeah on thor is well beyond uz pet. Still, frum such an unpromising stoat came the biggah concept a sershil netwoakin seets leik Facebook, Bebo an Twittah an tha. Ah divvint supperse tha peepil expected tha these seets would have so much of an impact on wor socitee. But the propah did man! Coz nooadees merst a wor youngstaz spends haff thor teim 'taakin' tuh thor voatshil 'frens' onleen. Thor aall thor inseed thor computaz an maw often than nut inseed thor heids.

The beauty of tha is tha noo peepil divvint need tuh gan oota the hoose tuh meet thor frens. Tha gives thim maw teim jus sittin in front of thor computaz gerrin fattah as the eat thor junk food aall dee lerng. Itz faw these reasons tha sershil netwoakin has lerdza knockaz meind. The awgue tha peepil divvint reely have true frens on these keinda seets. Wha the sey is peepil divvint have onleen frens, wha thiv got is maw leek electronic penpalz, an Ah supperse tha's a fair point. Except in the erld dees yerz mebbes had a one penpal in Australia tha yerz rert tee once a yeeah. Leik Ah had a one in France buh we ernly evah rert tuh each utha once. But on sershil netwoaks yerz can send up tuh thoosans a messages a dee tuh hundreds a peepil.

Faw a lerng teim Facebook waz the daddy a the sershil netwoaks man. Thor's millyins an millyins a peepil on it frum aall ovah the woald. What yerz dee is erpen an accoont an tha then yerz can inveet yerzself tuh be a fren a uthaz on thor Facebook pages. If yerz get accepted then yerz can stoat communicatin wi one anutha, yerz kna, telling each utha what bands, fillums an footy teams yerz leek an tha. Then yerz can take fertaz uv yerzself an yerz mates oot gerrin bladdahd an perst thim on yerz page so az yerz onleen frens can see thim an tha. Then they dee the same an yerz can see them oot gerrin trolleyd wi some a thor 'reel peepil' frens. Ah've had a gan at Facebook burrit duzzen reely suit uz man. Ah prefaw the maw instant veeb an rapport uv the new kid on the block caaled Twittah.

Twittaz gainin in popularitee an itz noo problee the biggie when it comes tuh sershil netwoaking seets pet. The thing aboot it iz tha a lerda celebs have stoated tweetin an it gives ordinree peepil the idea tha thor rubbin shouldaz wi the great an good. Of coase thor not reely coz celebs on Twittah merstlee ernly follow an taak tuh utha celebs. Bur Ah aalweys leik tuh keep up wi modun trends so of coase Ah've got mei ern Twittah page an through it Ah can let mei fans an anybuddy else kna wha Ah'm gerrin up tuh an tha. Ah dee it bei reetin littil collections a woads, keinda sentences, pet, buh thor nut caalled sentences, naa faw some reason thor called 'tweets'. These aw ernly alood tuh be 140 charataz lerng so yerz cannat sey a lot in each one meind. Ah think tha Twittah deseed tuh make it leik tha soaz peepil divvint gan bangin on an on aboot pointless rubbish tha followaz wudden care aboot. Anywey wha yerz need tuh dee is set up a Twittah accoont an then stoat tweetin. Yerz look tuh see who else is tweetin an then yerz can follow thim.

Leik as Ah waz seyin thor's lotz a fellow celebs on thor an Ah follow a lorra the big ones leik Stephen Frei, Jonathan Ross, Britney an lerdza uthaz. Then az yerz ern Twittah page getz maw populah yerz gerra lerda followaz yerzself. Noo divvint worry Ah'm not taakin aboot lerrin yerzself get stawked heeah. Followaz means in the voatshil sense. Thor peepil tha follows yerz tweets man. Tha's aall, nuthin sinistah.

Ah hadda look back through mei teimleen, tha's wha the call aall the stuff yerz reet, an tha yerz followaz can see if the deseed tuh follow yerz, an Ah must sey tha Ah'm pawticulee erpen wi mei fanz an Ah give thim canny inseets intuh whar am deein an whar Ah think an tha. If Ah wuz a fan a mein Ah'd soatinlee be following meiself. Heeaz a few a mei tweets tha's bin on mei seet, www.twitter.com/CherylKerl, just tuh give yerz a flava a whar itz aall aboot.

Ricky Moatin seys he prefaws blerks tuh gorls. Well so do Ah man, so it looks as if Ah'm ganna have tuh come oot too pet.

Went tuh bei a laptop an the gadgie asked uz wud Ah leik a Mac. Ah sez naa, yerz aall reet. Ah've had lunch, Ah'll jus have the computah, pet.

190

Bin arra 3 stor Michilin restaurant t'neet. Yerz cud get aall soatz a fancee drinks buh thor wuz na Broon man. Pathetic leik!

Leik wi tweets leik tha mei fans is gerrin a true inseet intuh hoo the reel Cheryl is man. An leik durin *X Factory* Ah kept aall mei followaz up tuh speed wi the inseed storee on wha wuz gannin on beheend the scenes an tha.

Seimon's hoad aboot the Perp's CD an he wantz him az top mental faw the Gran Feinal. The theme'd be Gregorian Chants.

Wur aall in the green room an evreebuddy's terrafeid a Ladee Gawgaw. Seimon an Louis hidin beheend the seurfa aftah shiz hissed at thim berth.

Hei, see if Janet Jackson stoats bangin on aboot 'Wor Meikil' when she speaks te Doamut ah'm ganna te scream me, man, leik.

Noo when Ah waz a littil gorl if ernly the'd a had Twittah available Ah'd a bin abil tuh follow the leiks a The Nerlan Sistaz coz leik the wor one a the foast gorl bands an tha worn't the? An Madonna, coz evin theu shiz a reet big stor noo shiz bin aboot faw ages, pet, an leik shi'd a definitlee hadda Twittah page an tha.

Reach Faw the Stors

Ah'm nut on aboot the S Club serng. Ah'm taakin aboot leif in the fast lane . . . naa hang on pet, tha's an Eagils numbah. Aw man, Ah'm jus gerrin in a muddil heeah!

Killah Dance Moves

Yerz can soond great an sing in tune, yerz can look great on stage leik a millyin dollaz, buh if yerz cannat dee killah dance moves then yerz meight as well fawget aall aboot a career as a musician. Coz if yerz cannat knock the puntaz dead wi yerz dancing when yerz perfoam then what's peepil ganna dee when the listen tuh yerz CDs at herm. Thi'll get bored wi'in feive minits. Leik the music bits aall reet Ah supperse buh tuh me it needs the dancing tuh gan wi it. Ah divvint listen tuh the CDs a mei favrit acts. Nee wey! Ah aalweys purron thor DVD coz then when the rubbish tracks come on yerz've got some killah dance moves tuh look at haven yerz? Leik Ah cannat imagine peepil jus listenin tuh the music on itz ern. Tha'd be mentil wudden it?

An tha's wei Ah spend maw Ah mei teim in the dance studieau than the rehorsil room befaw one a mei tooaz. Faw uz mei music's aall aboot the dancing, well the dancing an the ootfits, pet. Leik not bein teight aw owt buh tha's wei some peepil divvint gan az faw in this business as the shud dee. Ah mean can yerz imagine hoo faw Vera Lynn'd ganned if shid a busted a few moves an had had some decent corryografee gannin on beheend hor? Exactlee!

Ootfit Changes

Peepil tha comes tuh me lieve shers aalweys taak aboot mei ootfit changes as bein one a the heighleets. The nevah seem tuh taak aboot the music faw some reason. Itz aalweys the ootfits an tha makes uz keinda sad. Coz leik thor Ah am, up thor givin mei aall an Ah'd a herped tuh be recogneezed as a music icon bei noo bur Ah'm still waitin faw tha.

See, pet, tuh me itz impotant tuh give yerz crood a fantastic visyil treat when the comes tuh see yerz an tha's wei thor's so many ootfits in each a mei shers. An Ah'd have tuh sey if Ah wuzzen Cheryl Kerl the pop princess an supastor an ernly Cheryl Kerl the HR manaja, mei approach tuh ootfits would still be the same. So sey mei foast meetin a the dee as an HR manaja wuz aboot biscuitz faw wor execs on the top flooah, then Ah'd mebbes have on a neece smoat bizniss suit. Then if mei next meetin wuz havin tuh make sumbuddy redundant, Ah'd problee gan wi a black blooze an trouzaz tuh match. Then say in the next one Ah wuz headin up a brainstormin team aboot organisin wor woak's Christmas poaty, then Ah'd likelee wor summat neece an glittery. Meind Ah'd need a wawdreb serrup in mei office if tha wuz the case wudden Ah?

Boy Bands

Thor wuz a teim, reet, when the torm 'band' meant a group a musicians, sey leek the Beetils an tha. Yerz kna, peepil playing guitaz, pianos an drums. Nomalee the aall got tugetha an practised wi thor instruments, got some gigs an then gorra following befaw makin a recoad. But aall tha's a thing a the past noo. Thor's still some ferks tha dee it but these dees thor's things caaled boy bands an thor a tertally diffrint kettil a worms. Ah supperse the foast boy band a modun teims would be the Jackson Feive aw the Osminds. Back just aftah the war in the neenteen seventies. Nooadees boy bands need diffrint skills theu. The have tuh hav a lerda talents. Leik nut ernly dee the hav tuh be abil tuh perfoam catchy choons an tha buh the hav tuh look pretty an be abil tuh dee some pretty wicked moves as well.

Modun boy bands tend tuh get put together bei pop supremeaus who likelee make merst of the munnee oota the deal, an then when a band's popularitee gans doon the drain, the supremeau sacks the membaz an simplee makes up anutha newah one.

Meind Ah'm nut seyin tha the lads themselves gets a bad deal aw owt. Coz if the worn't in the band thi'd eitha be woakin at Kwik-fitz aw Tesceaus aw evin on the derl. So leik itz nut aall bad news. Some a thim have bin aroond noo faw ages an leik thiv come a very lerng wey. Faw exampil have yerz evah seen the foast TV appearance uv Boyzern on TV in Eiland? Well if yerz have leik then yerz kna whar Ah'm on aboot. If yerz haven seen it then hadaway an gerron yerz computaz an Googil it man. Aw man pet woman man, itz tertally shockin. Yerz'll have tuh watch it between yerz fingaz. Ah can still feel meiself gannin red even noo an it wuzzen evin me makin a prat a meiself. Bur uv coase thor's the proof reely tha yerz can take any erld lerda rubbish an make summat oota it, coz leik thi've hung aboot faw yeaz an yeaz an the evin brerk up one teim.

Then thor's Westleef an thor anutha buncha lovalee lads frum Eiland again. Wharizzit aboot Eiland tha the keep proveedin wor chorts wi so much a this sorta thing? Mebbes itz in the wattah.

Thorz been one a two attempts made tuh take the boy band idea an give it anutha twist just to trei an ger anutha few poond frum the pockit munnee uv aall the littil gorls. Wha thi've done is trei an pass aff some a these lads, the odd one a two tha can sing in tune, as a boy band bur a one tha sings merstlee classikil serngs an mebbes the odd Queen numbah. Meind thor's ernly so many teims yerz can heeah fowa blerks morderin 'Bohemian Rhapseaudy' izzen thor? In any typical dee at *X Factory* audishinz Ah must hav tuh listen tee tha aw Nelsin Drogba aboot twenty teims aw maw.

Because uv the success a Boyzern an Westleef an thim, the realitee talent shers are full a youngstaz treein tuh be the next big boy band. Man yerz cannat get movin faw thim at ooah place pet. Evree corner yerz torn roond thor's three aw fowah a thim aall jiggling aboot. These dees it duzzen mattah so much if yerz singin izzen up tuh scratch, coz thor's special machines in a recoadin studieau tha can fix tha sorta thing. Aw so Ah'm terld leik coz luckilee Ah divvint need none a thim gadgets.

Gorl Bands

Faw gorl bands see Boy Bands. Coz leik apoat frum the obvious differences, yerz typical modun gorl band's exactlee the same as yerz typical modun boy band man.

Ah supperse tha mebbes a top gorl band can dee bettah ovahaall than a top boy band and Ah can speak wi bit from experience heeah. Coz Ah ackshillee kna one a two peepil tha's in gorl bands. Wiv had a coupla ones in recent teims in the UK an thiv done well faw themselves pet. The foast wuz Bananarama back in the eighties, an the done aall reet. Made a few poond an tha, an flogged a few mugs an perstaz. Buh leik the one tha reely brerk the mould wuz The Speece Gorls. Evreebuddy knaz aboot thim an the aall became hooseherld names oota it. Ah mean Tinky, Winky, Dipsy, Laa-laa an Po's aall legends still evin tuh this dee awn't the?

Celebritty Products

The reeze uv celebritty products is something thar Ah'm reet exseeted aboot man. Noo Ah'm nut taakin aboot just peepil tha endoases existing products pet. Whar Ah'm on aboot is products tha's invented an developed bei celebs. Some peepil see this trend az a cynickil ploy bei product manufacturers tuh knock oot any erld junk, purra pickcha uv a celeb on the front a it . . . an bingo, lerdsa sales an munnee. Buh nee way man! Ah see it az a way of allooin alternative ootlets faw wor celebs tuh be creative an to proveed a way faw thim tuh share thor ideas an aspirations wi thor fans.

Thor's aall sortz a products tha yerz can ger inverlved in too, dependin on wha yerz aw famiss faw. Leik it stands tuh reason thar if yerz wor once a boxah, faw exampil, then yerz aw gonna invent a gizmeau tha makes steak an borgaz an tha keinda grub wioot coverin thim in fat an grease. Aw mebbes if yerz're an actah thor's salad cream an sauces an tha tuh invent. An then whar aboot wor nation's WAGs;

205

thor torning oot tuh be the merst amazing group a peepil a the lot, coz a lorra peepil have thim written aff as stupid awheeded bimbeaus tha cannat dee owt except gan tuh neetclubs an get bladdahd. Well hooz havin the last laugh noo? The WAGs have shern themselves tuh be a lot maw than one trick pernees. Thiv invented aall sortz a stuff an thi've also made a few poond oota it faw themselves. So fair pley tuh thim man.

Anutha thing tha can make yerz a few poond iz if yerz invent yerz ern knickaz an undahcrackaz an tha. Noo tha's an easy one coz aall yerz need iz a sewin machine an a few littil bits a material an yerz can knock oot yerz ern collection in half a dee aw tha. Meind, Ah divvint reely fancee deein it theu but, coz Ah hav an irrational feeah a needils an lace an tha pet.

Ah kna a lotta gorl celebs haz brought oot scents an tha, an Ah'm thinking a mebbes deein tha meiself. Itz amazing leik tha altheu thor merstlee just singaz an actresses, the still kna aall aboot chemistree an smells an stuff leik tha.

Buh leik itz munnee faw erld rerp so Ah've been givin a birruv thort aboot hoo Ah could muscle in on this moaket meiself coz the obvious product faw uz tuh invent would be summat leik a scent a mei ern. Ah cud mebbes call it 'Whiff a Cheryl' aw summat dead classee leik tha cudden Ah? Tha'd be mint man, theu on balance Ah think that Ah'd be short-changing mei fans wi something obvious leik tha. So altheu Ah'll sortinlee bring oot mei ern fragrance one dee Ah wanna dee summat a bit maw woathee. Leik tha erld gadgie tha invented catz eez. Ah wanna be able tuh make an extra fawchoon but dee it bei inventin a product tha makes a diffrince to wor fellow man woman man pet man. So faw Ah'm lookin at mebbes developin an alternative tuh oil faw fuel an tha, buh ah'll hav tuh dee a lerda exams an tha foast coz Ah haven a Scooby aboot tha keinda stuff. Yerz kna minerils an physics an engineerin. Mebbes Ah'll gerra birruv help wi mei experiments from some scientists. Buh apoat frum tha it'll aall be mein ern woak.

Leik wudden it be mint tha if in a hundred yeeaz Ah wuzzen remembahd just faw mei singin, buh faw something maw woathee leik havin bin the next Alexandah Graham Bell aw mebbes inventin summat leik the Sinclore C5.

TV Talent Shers

When Ah was a littil gorl we aall used tuh sit aroond wor telly and watch things leik *Harbaw Leets* an utha rubbish leik tha. Yerz kna, back in the dee when TV companies had tuh fork oot reel cash faw actaz, scriptwritaz, costumes and crews an aall. Thor wuz enough munnee flertin aboot in thim dees tha alood peepil thar'd been successful in utha shers, leik serps an tha, tuh make thor ern pregrammes; so tha's wei yerz got shers leik *Harbaw Leets* bein made.

Well t'dee, wi the event a the TV talent shers, thor's naa need to waste aall that munnee any maw, an the beauty of it is that thor's a lot moa tuh pay the sher's ownaz, makaz and judges an tha. Leik Ah can speak from berth seeds uv the fence, me, man pet. Ah wuz discovahd on a one and noo a make a fantastic livin oota anutha. An faw evree one uv me tha torns oot tuh be a supastor, thor's thoosans uv sad wannabes tha we can aall have a reet good laugh at on a Sat'dee neet. But leik it makes uz sad tha some peepil accuse Seimon uv bein cynickil, an the say that the shers aw reely ernly aboot him makin munnee faw hizself an hiz production company. But take it from me leik, Ah happen tuh kna heez ernly made millyins an millyins oota them faw hizself, but in retorn heez give the woald Michelle McManus, Steve Brookstein an Daz Sampsin!

Top Tips Faw
X Factory Audishins

Peepil asks uz aall the teim, 'Cheryl, pet, hoo can Ah be successful an get meiself through tuh boot camp when Ah dee mei *X Factory* audishin?' Well thor's nuthin tha can make yerz have the 'X Facta' buh heeaz a coupla tips tha meight help.

If yerz a good singah an a birruv a tidy boilah yerzself it can be a good idea tuh foam a duo wi a reet muntah tha cannat sing at aall. Coz someteims Seimon'll pick yerz oot an on the quiet tell yerz tuh ditch the poatnah coz thor herldin yerz back. Itz a good storee faw the TV cameras an adds a birruv drama an aall. Noo itz norra gurantee buh leik itz still woath thinkiing aboot it an Ah'm taakin aboot berth boys and gorls heeah, man woman pet.

Mebbes if yerz used tuh be a topless modil an tha itz best tuh keep tha under yerz hat til aftah yerz've done yerz audishin. Then if wiz gonna hoy yerz oot yerz can tell uz aall aboot it an we'll put yerz through on the undastandin tha the Sundees are bound tuh publish it. Yerz'll nevah win the teetil buh leik yerz'll gerra birruv publicitee oota it, an itz up tuh yerz wha yerz can make oota it aftah tha.

If yerz aw blerks, mebbes foam a feive-man boy band, buh be shua tuh have a birruv a bloatah in the leen-up. Then wha happenz is yerz ger asked tuh loose him, an hey presto! Yerz aw suddenlee a fowa-man band an yerz'll likelee make it tuh the semis at least.

Buh problee the best wey tuh get through is tuh have a lovalee erld nana come wi yerz tuh the audishins. Specialee if shiz looks a littil bit manic aw mebbes leik the Queen Mam. Yerz're guranteed a place if yerz nana's anyway haff decent.

An thor's ernly one utha gurantee tha's bettah than the nana an tha's if yerz have a deid dad, mam, weef aw husband an thiv terld yerz tuh gan oot an dee it faw thim leik. Tha's pure *X Factory* gerld. Yerz aw ganna gan aall the wey if yerz storee's good enough. Beleev me, pet, itz that one tha duz it maw often than not.

Wor Woald T'dee

Noo this izzen a new current affors pregramme an tha. Ah'm taakin aboot aall the big subjects tha mattah in wor dailee leives.

Modun Language

Az a fan a propah received pronunciation an propah use a woads, pet, Ah feen meiself despairin aboot hoo wor beautiful language is bein mordered bei wor modun generation. It neely makes uz weep man. Tuh think wha's happenin tuh the mutha tongue a the leeks a Shakespeah an Dickens an itz just shockin man.

The wey wor modun kidz speeks an tha is awful. If yerz evah heah thim leek Ah dee from teim tuh teim yerz'll be shocked faw shua. Coz noo evin in England in places leik Reading and Carshalton an tha, merst a wor youngstaz taak leek some keinda New Yoak gangstaz. Evin wi mei undastandin uv modun joagon an street taak Ah feen meiself struggling tuh keep up. Ah'll tell yerz this man, itz well baad, innit?

Ah think tha half the problem is doon tuh the music the heeah an fillums the see an tha. Neebuddy in thim seems tuh want tuh pronoonce thor woadz propalee coz thor aall runnin aboot the place wi scools on thor faces. Nun a thim can be bothad tuh smeel an the aall mumbil evreething the sey. And az if aall a tha wuzzen bad enough, thor use of grammar is appallin an enough tuh giv a linguist a hort attack.

The use aall the rerng woads in the rerng contexts man woman man pet, so faw exampil the meight sey 'Tha's well bad man!' when what the ackshillee should be sayin is 'Tha's well good man'. Tha sorta thing is just shockin an Ah just divvint undastand it. An evreething the say, no mattah wha thor gannin on aboot haz tuh hav 'innit' aftah it. What's tha aall aboot? Like yerz'll heeah thim sayin 'Ah'm gannin tuh the yooth clerb, innit' aw 'Ah went tuh see mei dealah tuh scoa some skunk man, innit' an so on and so on. Neely everything the say has 'innit' stuck on the end, an not ernly is it tertally rerng, grammatically speakin, but it is also not needed; statements of intention aw fact, such as the two exampils Ah've just give, divvint need tuh finish wi an interrogative. Just bonkaz man! Itz simplee aall wrong. An then thor's the wey tha evree sentence the uttah soonds leik itz takin off leik a rocket wi an upwhads infleckshun as the finish. Aall a tha stoated in eitha Australia aw America, merstlee wi gorls leik serp actresses an singaz, buh noo aall wor youngstaz is arrit. Itz dreevin uz mentil! Currit oot faw God's sake befaw Ah end up gannin roond the bend.

Hoo could we hav areeved at such a pooah state uv affors? Divvint thor ferks tell thim owt at aall? Honestlee, wei peepil divvint honah an respect wor beautiful lingeau Ah'll nevah undastand.

Relijin an Celebritty

This is a tricky one tuh get reet. It used tuh be tha thor wuz ernly a few choices tha yerz could make. Eitha yerz wor a Cathlick, C of E, aw if yerz parents wor hippies, weirdeaus aw scientists an tha, then yerz wor an atheist aw agnostick. Buh aall tha's bin blern oota the wattah because a the leiks a Tom Cruise an Madonna an tha lot. Thiv aall foond these new trendee relijins an the've threwen the rest a wor celeb communitee intuh tertal confusion. We divvint kna wha wor supperzed tuh be nee maw.

Thors Kabbalah, Scientology an Buddhism an leik itz deein mei heed in man! Ah jus divvint kna which tuh choose. So whar Ah've deseeded tuh dee, when Ah gerra birruv teim free, is gan on a spiritual jornee tuh feind mei innah self. An herpfullee once Ah've done tha then Ah'll be able tuh make up mei meind propalee. Hei, Ah'll mebbes have a woad wi mei manaja an see if we could gerra TV sher oota it, yerz kna: *Cheryl's Jornee uv Enleetenmint*. Aw tha'd be mint man!

219

Of coase wharreva one Ah gan faw, it'll have tuh stoat tuh influence mei reetin an tha. Say leek Ah'm on a chat sher, Ah'll be able tuh gerra few minits a the intaview wasted taakin aboot it. It'll save uz havin tuh think up anything clevah aw owt, pet, an if Ah manaj tuh handle it reet it'll likelee add anutha laya tuh mei alreddy complex an multi-fassited characta. Then once aall the fuss deez doon Ah can jus fawget aboot it an gan back tuh wharra dee noo.

Erld Ferks

Aw, wor pensionaz are mint man. Ah love thim, me. Thor keinda leik reel peepil an tha except tha the divvint dee a lot of useful stuff any maw. Bur Ah think uz youngah ones should celebrate them az thor poat of hoo we aw as a nation. Thor the reason we aw hoo an wha we aw, an the should be tret wi respect.

Meind, some a them can be a bit annoyin can't the? Leik this one teim Ah was gannin tuh dee a TV link-up wi the States bur Ah wuz late an runnin oota teim faw the sataleet slot tuh LA. Me drivah's torned off the motawey an then suddenlee wor on a singil carrijwey an thor's this erld gadgie in a littil motah in front a wor. Ah could tell he wuz a pensionah coz a could see the top a hiz blue anorak an wheet flat cap poppin up just ovah the wheel through hiz back windeau leik. He wuz just ploddin alerng arraboot twenty meels an ooah man, an coz the rerd wuz well twisty we cudden get roond him. Mei drivah kept blowin hiz hoan an flashing hiz leets an tha but it didden make nee difference. In the end we missed wor slot on the sataleet, bur Ah wuzzen annoyed, well not tha much reely coz leik the erld chap meighta been a war hero aw summat.

The utha thing tha wor erlduns dee is push in when yerz are in a queue divvint the? Leik yerz aw mebbes standin thor in the queue waitin tuh pey faw yerz stuff an then suddenlee yerz get knocked oota the wey bei a pensionah wi thor shoppin wheelie. The divvint say soree when the dee it eitha, buh Ah divvint reely ger tha annoyed aboot it. Yerz hav gorra respect them haven yerz?

Oh aye, an anutha thing tha the dee is when thor in the supamoaket, the block up aall the aisles wi thor trolleys an tha. Yerz meight be treein tuh gerrat the lettuces an leik thor'd be two a thim standin in front uv the shelves beheend thor wheelies blockin the wey. An if yerz listen tuh what thor taakin aboot itz aalweys Bert's operation aw Ida's bag tha shiz had fitted an tha. The divvint heeah yerz when yerz say excuse me, nee way! The jus keep on blatharin awey, chuntarin on an on an on. So in the end yerz give up an deseed not tuh botha wi lettuce, yerz hadaway an gan faw the cheese instead. But when yerz get thor thor's maw uv them deein the same thing. Itz leek summat oota a zombie movie aw *Dr Hoo*, izzen it? Thor aall shuffling aboot bein driven bei some malevalint unseen foace an sendin aall the rest uv wor BONKAZ MAN!

Aw well ernly a littil bit bonkaz, mebbes just a littil teeny weeny bit. Coz as Ah wuz seyin Ah love wor pensionaz me. The woald wud be a lorruva poorah place wioot thim wudden it? Theu a supperse yerz could get aroond an get yerz shoppin done a bit eaziah.

Fiscal Strategy

Noo yerz meight think thar Ah wudden hav a view on this buh yerz'd be wrong man! As a celebritty hoo's well minted an wha lives in the UK, munnee's very impotant tuh uz an how wor govamint manajiz it is summat we aall need to be awor of. Peepil's aalweys askin wor wha's mei prefawd fiscal modil faw wor economee. Heeaz hoo Ah see it.

Leik yerz heeah aall these gadgies in wor porlamint wafflin on an on aboot aall soatz a economic modils an itz aall jus a lerda rubbish man. Neau-Keynesianism is aall well an good an tha, buh leek Ah haven a Scooby Doo wharrit means. Ah aalweys think the best wey tuh manaj yerz finances is simpil. Divvint spend maw than yerz've a got in yerz bank accoonts, an then itz job done izzen it? Itz a bit leik tha Mistah McCormick in Dickens, pet. Yerz kna when he seys tha one:

'Annyil income twenty poond, annyil expenditcha neenteen poond neenteen and six, result happiness. Annyil income twenty poond, annyil expenditcha twenty poond ought and six, result misery.'

Tell yerz wha, hoo clevah wuz tha gadgie? He soat-inlee knew wharry wuz bangin on aboot didden he? Wi'd aall dee well tuh follow hiz lead wudden we? Oy aye man, tha's faw shua.

So if yerz deseed tuh follow mei suggestyin then some of yerz tha's used tuh maxin up yerz credit cards'll have tuh dee wioot aall the reely cool stuff tha yerz leik tuh have. So gorls, mebbes stop gannin tuh Zara an Karen Millen an hadaway an gan tuh Preemoak an the Oxfam shop instead. That'll keep yerz in bettah finanshull health, bur Ah'm afraid the bad news is tha yerz'll nut look az good gannin oot faw a neet. Still thor's nee gerrin awey frum it, we aall need tuh practise restraint in theez trubbiled finanshull teims.

Binge Drinkin

Thor's a lerda taak aboot this in wor media these dees an tha an itz a subject tha merst peepil's gorra view on. An Ah'm nee exception. Ah think tharritz summat we need tuh look at cawfilee befaw we have tee many knee-jork reactions tuh certain opinions expressed bei ferks. Merstlee do-goodah killjoys tuh be honest.

Man's relationship wi booze, aw tuh give it itz scientific name, alcohol, is a lerng one an reet since the dees a the caveman peepils been gannin on the lash an tha. Merstlee at the weekendz. Theu back in the dees a the caveman the didden reely have weekendz an tha. They wor invented bei the Rermins aw Greeks aw some crood leik tha.

A coase yerz see peepil on the TV telling yerz the numbah a drinks tha's way too many faw yerz, buh leik these peepil obviously havven bin oot in Newcastle, coz leik the dailee reccahmendid amoont's tha thor gannin on aboot nomalee blern oota the wattah bei the teim the second roond's in.

These govamint adveezas has deseeded tuh sey tha leek if yerz hav maw than a coupla glasses a ween on a neet oot wi the gorls then yerz aw a binge drinkah wi one foot in the grave. Tha's jus daft man pet. A coupla drinks nevah done neebuddy naa hoam, nee wey! Ah supperze itz if yerz divvint kna hoo tuh say no tha the trubbil stoats.

Aall the drink advoats noo still haz a lerda modils havin a fantastic teim an havin a few drinks an tha. But if yerz nertice noo at the end uv the advoat a littil message comes up seyin 'Enjoy ween responsibly'. What's tha supperzed tuh mean? If yerz ask me leik Ah think itz aall poat of this political correctness an nanny state ganned mad wha Richad Littiljohn's aalweys bangin on aboot.

Ah mean drinks companies aw comin on an peyin a lerda munnee faw TV ads an thor expected tuh sey: 'Bei our product buh leik divvint bei too much uv it'. Thatz just bonkaz, pet. Wei dee ferks think tha we have tuh be saved from worselves? It reely getz on mei norves big steel. Ah'm erld enough tuh make up mei ern meind thanks very much. Ah kna when Ah've har enough, me.

Coffee Cultcha

When Ah wuz a littil gorl back in Newcastle Ah remembah gannin tuh lerkil cafés aw chippys an tha if yerz wanted tuh gerra cup a tea aw coffee. Tha's aall thor wuz reely. An when yerz got thor aall yerz could have wuz a cuppa tea, a cuppa coffee aw a glass a Fanta aw Kerk. Thor wuzzen owt else.

But noo man yerz cannat gan maw than two steps doon the heigh street and yerz've run intuh aboot ten coffee shopz. Thor everywhor man! Honestlee Ah cannat undastand hoo the aall surveev, and hoo the get so many peepil tuh bei aall tha coffee. Thor's Storbucks, an bei the wey hazzen he done well noo heez not on TV telling jerks an tha, Costa's, Café Nereau an God knaz hoo else, an thor aall sellin the same thing. Leik trei an feind a shop tha sells fruit an veg – yerz'll have a long sorch on yerz hands, but if yerz want a coffee yerz'll be aall reet. Noo when Ah sey a coffee tha's just the stoat uv it. It would be a lot eaziah if it wuz leik the erld dees, but nee wey in these enleetened teim tha we noo live in. Thor must be aboot two thoosan pormutationz a coffee alern. Maw than all the combinations needed tuh win the Lotteau.

Foast uv aall thor's the seez a thim. The stoat wi a small one, summat caaled an espresseau. Tha's aboot the seez uv a thimbil an thor's so littil in thor tha yerz cudden droon a flay in it. Frum tha then the gan aall the wey up tuh a loage. Meind nut tharritz caaled a loage aw owt. Nee wey. Itz got some keinda foreign name leik a 'humungeau' aw summat. An man the seez uv it is mentil. Thor's enough liquid in thor tha if yerz spilt it it would activate the Thames Barriah an the Nationil Floodleen would be issuin warnings left reet an centah. Thor's so much in a one a thim humungeaus tha David Attenborough could dee a sher exploring treebs tha must be livin aroon itz rim, man.

If it stopped wi the seez then tha would be bad enough, but seez is problee the easiest decision yerz'll have tuh make in the herl process. Next comes the numbah a shotz, one aw two? The teep a milk, dee yerz want full cream, semi-skimmed, skimmed? Next dee yerz want some keinda syrups in it, vanilla aw owt leik tha? Then the ackshil steel uv yerz coffee itself. Aw yerz havin an espresseau, a cappachineau, a latte, a skinny latte, a mochiateau, a mocha, an americaneau, a frappachineau? Dee yerz want cream on it, sprinkils, chocolate aw cinamin? Marshmalleus. It'z a tertal neetmor man! When Ah gan in Ah usualee give up half wey through orderin an gan faw a cuppa tea just tuh make leif eaziah.

Hei, an yerz coffee leik duzzen get made bei an assistant aw a waitah eitha. Itz 'brewed bei a barista' if yerz please. Tha aalweys annoyz uz man coz thor aall youngstaz deein a jerb an tuh call thim baristaz is awful. Merst a thim tha sorve uz when Ah gan intuh a one a the shopz is very pleasant an well mannahed leik. An this one teim, reet, I wuz in an the youngsta sorvin wor had 'Barista a the yeah' written on hiz t-short an leik honestlee he wuz a reely lovalee lad. He cudden a bin neeceah. Wei the made him tha hoo knaz. Mebbes he harra birruv a tempah on him when he wuz oot the back.

An the food that the soave in the modun coffee hoose is nuthin leik the erld café an chippy. Aall the sorve is pastries, cakes, paniniz aw littil biscuits an tha. Aall sweet stuff izzen it? Nee wondah thor's aall this obeesitty aboot these dees. Itz not leik the erld dees uv the greasy spoon aw chippy whor yerz used tuh be abil tuh get a propah meal leik a bacon butty, a fish suppah, a sausage in battah aw a full English. Aall good nourishin traditional grub back then leik wuzzen it?

America an Americans

Noo this book wudden be the comprehensive woak a reference thar Ah'm intendin it shud be if Ah didden take a birruv teim tuh have a look at wor great frens an allies ovah the utha seed a the pond. America, the USA, the States. Evin the fact tha the have three diffrint names oughta be enough tuh tell yerz thor a littil bit special.

America's the land a dreams izzen it? The place wor evreebuddy aspiaz tuh gan an make it. An in the woads uv the serng, 'If yerz can make it thor then yerz can make it anywhor', an if yerz ackshillee dee then tha's ganna be yerz ticket tuh immawtalitee. Yerz'll have a big hoose an a big caw an hoo knaz, yerz'll mebbes evin get tuh put yerz hands in a birruv cement on the waak a fame. Meind, didden the trei an bring tha oot heeah in London one teim? It nevah took off theu did it? It wuzzen the same. America's got that certain something hazzen it? It reely is the land a make believe. The have peepil leik Lizabith Taylah an Frank Sinatra on thor waak a fame, Ah think we had Philip Skerfield an Barrymowah.

An look at what thiv given the woald pet. The list is endless. Chardonnay reckons thor's obesity, 'Coz thiv sortinlee done thor best tuh make tha populah haven the, Cheryl pet?' she seys. 'An leik the last teim Ah wuz ovah in LA, man thor wuzzen hoadlee any room tuh waak doon the street, aw seedwaak as the call it. Ah divven think itz owt tuh dee wi aall the fast food places an tha. Ah think tharritz tha thor mebbes just big-berned merst a thim. An noo ovah heeah we're beginnin tuh inherit the same genetic make-up. Amazin.'

Then thor's ambulance chasin, yerz kna, aall tha stuff tha's on telly where sumbuddy comes on an asks if yerz've been hort in an accident. Befaw aall tha peepil used tuh jus gerrup, dust themselves off an move on, buh noo yerz divvint have tuh dee tha. Yerz just sue sumbuddy an gerra big pay-oot. Mint!

An thiv introduced the woald tuh two charactaz caaled Abner an Blanche. Thor's millyins a thim an itz thor job tuh gan aall ovah the woald as unofficial US ambassadaz an spread the woad neeah an faw. Yerz have problee seen thim at wor motawey services gerrin ootuv a kerch. Abnerz aboot fifty-feive tuh sixty, nomalee wearin a blue keinda anorak wi a leem green

234

t-short undah it. He's gorron a baseball cap and is wearin the merst shockin pair a checked trouzaz yerz'll evah clap eez on. Neen teims oota ten thor leik a green backgroond wi a pink check. Blanche, hiz weef, is aboot the same age an shiz nomalee worin the same keinda ootfit ernly in diffrint coulaz. Problee breet orinj an porple aw some combeau leik tha.

When the gerrof the bus the gan intuh the food leen an block it up faw aboot half an ooah orderin moontins a grub an taakin in lood voices aboot hoo small wor portions aw ovah heah. Yerz'll heeah thim sayin stuff leek, 'Say Bub, yah caal that a steak? Wei back home in Mizzooree tha's the keinda thing we'd put in a borga bun or on the end of a cocktail stick. Yah better give me a coupla them, fella, an when yerz're at it Ah'd leik dubbil jumbeau fries dubbil onion rings and dubbil jumbeau kerla.'

If yerz run intuh thim in the street yerz'll heeah thim laughin aboot hoo small wor caws aw, hoo small wor rerds aw and hoo small wor skeiscrapaz aw an tha.

'Say that road you guys call a highway, the M4 is it? Wei back home in Washington DC that ain't no more than a dirt track man.' An if yerz see them in London an thiv ackshillee gor aff the bus an thor gaddin aboot lookin at the seets, pet, then the meight

235

ask yerz the wey tuh 'Looga-ba-goora' when the ackshillee mean 'Luffboro' aw 'Gloo-sester' when the ackshillee mean 'Glostah'. Taak aboot two nations deveeded bei one language.

If yerz gan tuh America yerz a lotta stuff tuh see an tha. The scenery's mint man an yerz would need tuh gan faw at least a month tuh make it woath yerz wheels. An itz the same wi this breef ovahview. Man, pet Ah could fill up the herl book aboot America. Ah've hoadlee scratched the sorfiss. Leik Ah haven mentioned hoo the leik tuh have guns aboot the place and aboot aall the spoatz tha ernly they pley. The best one's thor vorshin a roondaz, whor ernly two teams play buh the winnaz is caaled the Woald Champyins. But hey, enough alreddy wi mei gabbin! Mei adveece is wei divvint yerz gan thor yerzselves an be prepared tuh be amazed man. Aye an also be prepared tuh wait faw aboot feive hooaz tuh get cleeahd through thor immigration as thor well paranoid aboot lerrin peepil in tuh thor country.

Wor Nanny State

Thor's a lerda taak aboot this an itz something tha Ah think is gerrin maw an maw bonkaz as evree yeah passes. Befaw tee lerng itz ganna be impossibil tuh gan oot an do owt wioot havin tuh have a leesince faw it. It seems tha we divvint have the ability tuh make wor meinds up aboot owt at aall. Wiz aall need tuh be saved from worselves. Thor's exampils uv it aall ovah the place too man an if yerz want tuh kna hoo bad it is then aall yerz have tuh dee is bei the *Dailee Mail* evree dee an yerz'll soon feind oot.

Leek it problee duzzen get any daftah than noo wor youngstaz awn't alood tuh pley conkaz at school in case the conka shattaz an somebuddy gets kilt an tha bei a birruv conka shrapnil. Man tha's crazee. The want tuh wrap wor kidz up in cotton wool. If a conka does shattah then tha's it. Itz tough luck, pet, an aall very sad bur itz aall poat of the rough an tumble a school leef. Coz in the erld dees when a conka did shattah an somebuddy got kilt, aall ferk did wuz tut a bit, an then buried whoevah wuz kilt an then we

237

gorron wi the game again. Tha's the spirit wha made wor nation great. Norra birruv wondah tha wor becoming the laughin stock a the woald man. We need tuh get wor youngstaz tuh man up a bit maw.

An as if conkaz wuzzen bad enough wi've got wor coonsils banning things leek hangin baskets, leik just in case the faal doon on somebuddy's heid aw owt. Wha's tha aall aboot man? Ah nevah hawd aboot anybuddy gerrin kilt bei a hangin basket faalin on thor heid man. Meind thor wuz tha Rermin gadgie, what wuzzy caaled noo, aw man pet hang on it'll come tuh uz! Naa itz nee good Ah cannat remembah hiz name, likelee it wuz mebbes Pontius aw Skippyeau aw summat, but leik heez the ernly one. An anyway it wuzzen a hangin basket tha kilt him it wuz a tortil thar an eagil dropped on hiz baaldee heed coz it thort tha hiz heid wuz a rock an tha's hoo the brerk erpen the shell tuh gerrat the tortil meet inseed, thor dorty filthy gets!.

The two exampils thar Ah've mentioned aw ernly the tip a the eisborg. The nanny state's aall ovah the place an if we divvint ger a grip on it then itz ganna be the ruin a wor once feen nation. Yerz mark mei woads.

Mei Final Words

Aw that's the end a the book, an tha, an Ah cannat hoadlee beleeve thar itz aall done an dusted. Itz bin an amazing experience an a jornee thar Ah'll nevah fawget man woman readah pet az long az Ah live.

Ah've foond it well cathoawtic an itz had the ovahaall effect a helping uz gerra handil on jus whor Ah'm at in mei leif at the minit. Ah think tha noo Ah've purrit aall doon on papah Ah can reelee undastan hoo Ah am, whor Ah'm at an whor Ah'm gannin tuh in the comin yeeaz.

An a herp tha frum yerz ern pawspective, mei readaz, tha yerz've foond it a woathwheel experience az well an tha noo yerz feel tha yerz can undastand uz bettah an tha. If yerz remembah wey back at the stoat Ah sed thar Ah herped thar this would be a shawed experience buhtween wor an Ah'd leik tuh think thar Ah haven shawt-changed yerz an thar Ah've delivahed on mei promises.

Ah've herpfully let yerz intuh mei meind an tha noo wi've truly foamed a birruv a bond tha'll nevah be brerken. Noo obviouslee Ah divvint want any uv yerz tuh torn up at the stage daw aw tha at mei gigs lookin faw reel help, aw followin uz aroond when Ah'm oot an aboot, leik sherin up evreewhor Ah gan makin a nuisance uv yerzselves, buh rest asshuaed tha yerz're aalweys ganna be special tuh uz. Aye, tha's definitlee pet!

So tha's aboot it until mebbes the nex teim. Thanks faw reading an Ah reelee herp tha yerz've foond the herl experience…woath it, pet.

Glossary

A – Of
Aboot – About
An tha – Etc
Aw – Are or Or
Aye – Yes
Birruv – A bit of
Boilah – Woman
Bord – Woman, Girl
Cannat – Can't
Canny – Good, Nice etc
Celebritty – A famous person
Didden – Did not
Divvint – Don't
Duzzen – Does not
Faw – For
Gadgie – Man, Bloke etc
Gan – Go
Gannin – Going
Gofa – One who runs menial errands
Gofaz – Plural of Gofa
Gorl – Girl
Hadaway – Come on. Let's go
Hadaway an – Away and
Hawd – Heard
Hoad – Hard
Hoadlee – Hardly or Scarcely
Hoo – Who, How
Izzen it? – Is it not? Isn't it?
Keinda – Kind of
Kna – Know
Kna'd – Knew
Leik, leek – Like
Lovalee – Nice, Lovely

241

Maw – More
Mebbes – Perhaps,
　Maybe
Mei – My
Meind – Mind, Never-
　theless
Merst – Most
Merstlee – Mostly
Naa – No
Nee – No
Neebuddy – No one,
　Nobody
Oot – Out
Pet – Term of endear-
　ment to either male or
　female
Sher – Show
Slappah – A girl of easy
　virtue

Stor – Star
Supastor – Superstar
Tee – To or Too
Tha – That
Thor – Their, They're or
　There
Thor's – There is
Tuh – To
Uv – Of
Wey – Way
Wi – With
Willint – Won't
Wioot – Without
Wor – Our or Us
Wudden – Would not
Yem – Home
Yerz – You, Your or
　You're
Yerz'll – You will